biblio**collège**

Tamango

Prosper Mérimée

Notes, questionnaires et dossier d'accompagnement
par Stéphane GUINOISEAU,
agrégé de Lettres modernes,
professeur en collège

Conception graphique

Couverture : *Audrey Izern*
Intérieur : *ELSE*

Mise en page

MCP

Illustration des questionnaires

Harvey Stevenson

ISBN : 978-2-01-169477-5

© Hachette Livre 2007, 43, quai de Grenelle, 75905 Paris Cedex 15.
Tous droits de traduction, de reproduction et d'adaptation réservés pour tous pays.

Sommaire

Introduction 5

TAMANGO

Texte intégral et questionnaires

Tamango 7

Retour sur l'œuvre 66

DOSSIER D'ACCOMPAGNEMENT

Schéma narratif 72

Il était une fois Prosper Mérimée 74

Le commerce triangulaire 83

Le genre de la nouvelle 107

Groupement de textes : « L'abolition… et après ? » 113

Bibliographie 127

Prosper Mérimée (1803-1870), lithographie d'Achille Devéria (1829).

Introduction

Mérimée publie sa nouvelle *Tamango* en octobre 1829, dans la *Revue de Paris*. Âgé de 26 ans, il se consacre, depuis la fin de ses études de droit, à la littérature et à une vie mondaine assez riche, fréquentant les salons libéraux et romantiques à la mode. Dans ce Paris où bruissent les contestations diverses d'une Restauration déclinante, l'auteur de *Carmen* s'est acquis une petite renommée et 1829 est une année féconde pour lui, puisqu'une dizaine de ses nouvelles sont publiées.

Tamango aborde un sujet d'actualité à l'époque : la « traite négrière », c'est-à-dire la déportation massive des Noirs d'Afrique vers les colonies américaines. Mérimée est bien informé. Dans les salons qu'il fréquente, il rencontre des membres du mouvement abolitionniste qui combat la traite et l'esclavage. Quoique officiellement interdite depuis le traité de Vienne en 1815, la « traite des Nègres », commerce

fructueux, se poursuit plus ou moins clandestinement et la plupart des navires échappent à une répression qui peine à s'organiser. Pour lutter contre cette « traite illégale », une association d'intellectuels protestants (la Société de la morale chrétienne) est créée en 1821. Elle sensibilise le public en publiant des documents accablants et en montrant la terrible réalité d'un commerce illicite. Mérimée s'informe et décide d'aborder ce sujet dans une nouvelle nourrie de détails véridiques, parfaitement documentée, où il expose sans détours et sans effusion l'une des pages sombres de l'histoire humaine.

La cruauté a un visage dans *Tamango*, celui du capitaine Ledoux (et, dans une certaine mesure, celui de Tamango, dont le portrait est sans concession), patronyme dont on perçoit vite la portée ironique. Le génie de Mérimée se manifeste clairement dans ce choix. D'aucuns auraient eu la tentation de transformer leur « négrier » en incarnation diabolique du crime, d'en faire un criminel d'exception, un bourreau. Le personnage de Mérimée est plutôt un homme ordinaire au fragile vernis d'humanité, un marin aux qualités professionnelles indéniables, le parfait exécutant d'un crime accompli sans remords. Un homme oubliant, sous la pression de son intérêt et des contraintes « professionnelles », qu'il a affaire à des êtres humains... Ledoux, le mal nommé, incarne à lui seul la banalité d'un crime longtemps perpétré avant d'être condamné par quelques hommes épris de justice et d'humanisme, et qui est considéré aujourd'hui, depuis la loi Taubira de 2001, comme un crime contre l'humanité. Mérimée nous le dit à sa façon et l'histoire du xxe siècle lui a souvent donné raison : les techniciens zélés des pires crimes ne sont pas toujours des monstres ou des psychopathes, ils peuvent aussi avoir l'apparence policée de professionnels compétents et souriants.

Tamango

Le capitaine Ledoux était un bon marin. Il avait commencé par être simple matelot, puis il devint aide-timonier[1]. Au combat de Trafalgar[2], il eut la main gauche fracassée par un éclat de bois ; il fut amputé, et congédié[3]
5   ensuite avec de bons certificats[4]. Le repos ne lui convenait guère, et, l'occasion de se rembarquer se présentant, il servit en qualité de second lieutenant à bord d'un corsaire[5]. L'argent qu'il retira de quelques prises[6] lui permit d'acheter des livres et d'étudier la théorie
10 de la navigation, dont il connaissait déjà parfaitement la pratique. Avec le temps, il devint capitaine d'un

notes

1. aide-timonier : marin qui aide celui qui tient le timon, c'est-à-dire la barre du gouvernail.
2. Trafalgar : bataille navale qui se déroula le 21 octobre 1805 au nord-ouest du détroit de Gibraltar. L'amiral anglais Nelson remporta la victoire

sur la flotte française (commandée par l'amiral Villeneuve) et la flotte espagnole (sous les ordres de l'amiral Gravina).
3. congédié : renvoyé.
4. certificats : attestations, références.
5. corsaire : navire armé par des particuliers, avec

l'autorisation du gouvernement. S'ils étaient capturés, les corsaires étaient traités comme des prisonniers de guerre (à la différence des « pirates » naviguant sans autorisation légale).
6. prises : navires capturés.

lougre[1] corsaire de trois canons et de soixante hommes d'équipage, et les caboteurs[2] de Jersey[3] conservent encore le souvenir de ses exploits. La paix[4] le désola ; il avait amassé
15 pendant la guerre une petite fortune, qu'il espérait augmenter aux dépens des Anglais. Force lui fut[5] d'offrir ses services à de pacifiques négociants ; et, comme il était connu pour un homme de résolution et d'expérience, on lui confia facilement un navire. Quand la traite des nègres fut
20 défendue, et que, pour s'y livrer, il fallut non seulement tromper la vigilance des douaniers français, ce qui n'était pas très difficile, mais encore, et c'était le plus hasardeux, échapper aux croiseurs[6] anglais, le capitaine Ledoux devint un homme précieux pour les trafiquants de bois d'ébène[7].

25 Bien différent de la plupart des marins qui ont langui longtemps comme lui dans les postes subalternes[8], il n'avait point cette horreur profonde des innovations, et cet esprit de routine qu'ils apportent trop souvent dans les grades supérieurs. Le capitaine Ledoux, au contraire, avait été
30 le premier à recommander à son armateur[9] l'usage des caisses en fer, destinées à contenir et conserver l'eau. À son bord, les menottes et les chaînes, dont les bâtiments négriers ont provision, étaient fabriquées d'après un système nouveau,

notes

1. lougre : voilier à deux mâts servant pour la navigation près des côtes et leur surveillance.
2. caboteurs : marins qui font du cabotage, c'est-à-dire de la navigation à distance limitée des côtes.
3. Jersey : île anglaise.
4. la paix : allusion au traité de Paris conclu avec l'Angleterre le 30 mai 1814 et ratifié par le congrès

de Vienne en 1815. Ce traité, qui avait pour but de réorganiser l'Europe après la défaite napoléonienne, abolit officiellement la traite négrière.
5. force lui fut : il fut contraint.
6. croiseurs : bâtiments de guerre qui sillonnent dans une zone maritime limitée et chassent les

navires pratiquant la traite négrière.
7. trafiquants de bois d'ébène : marins qui se livrent à la traite négrière. « Nom que se donnent eux-mêmes les gens qui font la traite » (note de Mérimée).
8. subalternes : inférieurs.
9. armateur : personne qui utilise et possède un navire pour le commerce.

et soigneusement vernies pour les préserver de la rouille.
35 Mais ce qui lui fit le plus d'honneur parmi les marchands
d'esclaves, ce fut la construction, qu'il dirigea lui-même,
d'un brick[1] destiné à la traite, fin voilier, étroit, long comme
un bâtiment de guerre, et cependant capable de contenir
un très grand nombre de Noirs. Il le nomma *L'Espérance*.
40 Il voulut que les entreponts[2], étroits et rentrés, n'eussent que
trois pieds[3] quatre pouces[4] de haut, prétendant que cette
dimension permettait aux esclaves de taille raisonnable
d'être commodément assis ; et quel besoin ont-ils de
se lever ? « Arrivés aux colonies, disait Ledoux, ils ne
45 resteront que trop sur leurs pieds ! » – Les Noirs, le dos
appuyé aux bordages[5] du navire, et disposés sur deux lignes
parallèles, laissaient entre leurs pieds un espace vide, qui,
dans tous les autres négriers, ne sert qu'à la circulation.
Ledoux imagina de placer dans cet intervalle d'autres
50 Nègres, couchés perpendiculairement aux premiers.
De la sorte, son navire contenait une dizaine de Nègres
de plus qu'un autre du même tonnage[6]. À la rigueur,
on aurait pu en placer davantage ; mais il faut avoir
de l'humanité, et laisser à un Nègre au moins cinq pieds
55 en longueur et deux en largeur pour s'ébattre, pendant une
traversée de six semaines et plus : « Car enfin, disait Ledoux

notes

1. brick : voilier à deux mâts avec des voiles carrées. Ces bateaux, rapides, furent fréquemment utilisés pour la traite négrière illicite.
2. entreponts : parties du navire construites entre la cale et le pont.
3. pied : ancienne unité de mesure de longueur valant 0,3248 m.

4. pouce : ancienne unité de mesure de longueur équivalant à 2,7 cm (il faut 12 pouces pour faire 1 pied). La hauteur de plafond réservée aux esclaves noirs est donc de 1,08 m.

5. bordages : ensemble de planches épaisses ou de tôles recouvrant le bord d'un navire.
6. tonnage : capacité de transport d'un navire de commerce (évaluée par son volume intérieur dont l'unité de mesure est le tonneau).

à son armateur pour justifier cette mesure libérale, les Nègres, après tout, sont des hommes comme les Blancs. »

L'Espérance partit de Nantes un vendredi, comme
60   le remarquèrent depuis des gens superstitieux[1]. Les inspecteurs qui visitèrent scrupuleusement le brick ne découvrirent pas six grandes caisses remplies de chaînes, de menottes, et de ces fers que l'on nomme, je ne sais pourquoi, *barres de justice*[2]. Ils ne furent point étonnés non plus de l'énorme
65   provision d'eau que devait porter *L'Espérance*, qui, d'après ses papiers, n'allait qu'au Sénégal pour y faire le commerce de bois et d'ivoire. La traversée n'est pas longue, il est vrai, mais enfin le trop de précautions ne peut nuire. Si l'on était surpris par un calme, que deviendrait-on sans eau ?

notes

1. superstitieux : qui voient des signes favorables ou néfastes dans certains faits. Le vendredi est considéré à cette époque comme un jour néfaste pour commencer une navigation (par les marins superstitieux !).

2. barres de justice : chaque barre contenait huit gros anneaux destinés à entraver les jambes de quatre esclaves.

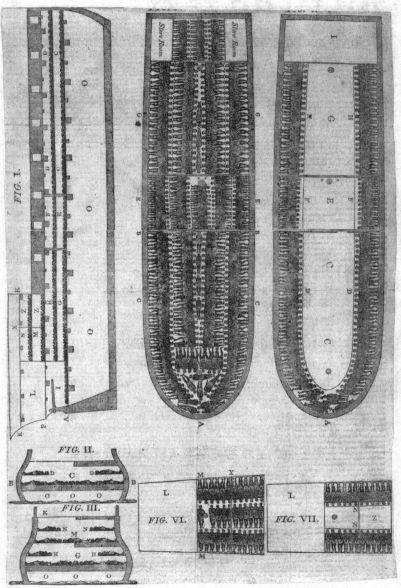

« Le bateau négrier *Brookes* », école anglaise du XIXᵉ siècle.

Au fil du texte

AVEZ-VOUS BIEN LU ?

1. Complétez les phrases suivantes :

a) Le capitaine Ledoux a été blessé lors du combat de ....

b) Il a alors perdu ....

c) Il est devenu .... d'un lougre corsaire.

d) Il devint célèbre auprès des ....
grâce à la construction d'un ....
destiné à la traite des Noirs.

e) *L'Espérance* quitte le port de ....
un vendredi.

2. Quelles différentes fonctions Ledoux a-t-il occupées sur un bateau ? Que démontre ce parcours ?

3. Quels aménagements Ledoux propose-t-il à bord de *L'Espérance* ? Quelles sont ses motivations quand il propose ces transformations ?

ÉTUDIER LA GRAMMAIRE

4. Quels sont les deux temps dominants dans ce passage ? Pourquoi ?

5. Relevez un verbe conjugué au mode subjonctif dans ces pages et expliquez la présence de ce mode dans votre exemple.

ÉTUDIER LE VOCABULAIRE

6. Relevez six mots appartenant au champ lexical★ de la marine puis six mots appartenant au champ lexical de la « traite négrière ».

7. Voici quelques mots appartenant au champ lexical de la marine ; vous les classerez en trois colonnes (après avoir cherché leur signification principale), selon qu'ils désignent un bateau, une partie d'un navire ou une activité à bord : *frégate, calfat, proue, tartane, gaillard, felouque, gabier, gabare, tonnelier, cotre, mousse, hune, enfléchure, étrave, enseigne, sabord, timon, chébec, carène, gréement, galiote.*

8. La défaite de Trafalgar est à l'origine de l'expression « un coup de Trafalgar ». Que signifie cette expression ? Employez-la dans une phrase.

ÉTUDIER UN THÈME : LA « TRAITE NÉGRIÈRE »

9. Reconstituez la chronologie des événements historiques auxquels le narrateur★ fait allusion dans le premier paragraphe.

10. Pour quelles raisons confie-t-on la responsabilité d'une expédition négrière à Ledoux ?

11. Quels éléments permettent de distinguer un bateau négrier d'un navire de commerce ordinaire ?

12. Qu'appelle-t-on « la traite illégale » (voir pp. 103-104) ? Comment la lutte contre la « traite négrière » est-elle présentée dans ce passage ?

★ *champ lexical :* ensemble de mots qui, dans un texte donné, se rapportent à un même thème.

★ *narrateur :* celui qui raconte l'histoire.

ÉTUDIER LE DISCOURS

13. Le narrateur utilise deux procédés distincts pour intégrer les propos de Ledoux à sa narration : donnez quelques exemples et expliquez la fonction de ces interventions.

14. Donnez un exemple précis où le narrateur intervient à la 1re personne.

15. Le narrateur exprime-t-il un jugement moral explicite sur la conduite de Ledoux ?

ÉCRITURE

16. Quels mots et expressions soulignent les qualités de Ledoux ? Le personnage vous semble-t-il attachant ?

17. Relevez des noms et expressions qui montrent une stratégie ironique* du narrateur.

LIRE L'IMAGE

18. Que représente l'illustration reproduite à la page 11 ?

19. Sachant qu'elle fut divulguée en Angleterre par Thomas Clarkson, un militant abolitionniste*, avant d'être diffusée en France par la Société de la morale chrétienne qui militait pour l'abolition de l'esclavage et de la « traite négrière », quelle fonction donneriez-vous à cette image ? Atteint-elle son but ?

* ironique :
l'ironie consiste à faire entendre et comprendre le contraire de ce que l'on dit. Ex. : « Quel temps superbe !... » (Alors qu'une pluie battante inonde le paysage.)

* abolitionniste :
partisan de l'abolition de la « traite négrière » et/ou de l'esclavage.

RECHERCHES ET EXPOSÉS

20. Le port de Nantes a-t-il occupé une place importante dans le commerce du « *bois d'ébène* » ?

21. Recherchez sur le site *www.ac-reunion.fr* ou par le biais d'un moteur de recherche l'article de Pierre Brest intitulé « Un exemple de commerce "quadrangulaire" au XVIIIᵉ siècle : le périple de "L'Espérance" (1774-1775) ». Quel itinéraire doit accomplir le bateau négrier *L'Espérance* ? Que signifie l'expression « commerce quadrangulaire » dans cet article ? Combien de Noirs le navire *L'Espérance* transporte-t-il ? Comment s'y prend-on pour acheter les Africains lors de ce voyage ? Quelles sont les causes de mortalité à bord de ce navire ?

22. Préparez un exposé sur Robert Surcouf, le célèbre corsaire de Saint-Malo...

23. Qu'appelle-t-on « l'abolitionnisme » ? Qui furent les premiers abolitionnistes en France ? Préparez un exposé sur ce sujet.

À VOS PLUMES !

24. Insérez ou ajoutez un paragraphe dans lequel vous décrirez l'aspect physique de Ledoux.

70   *L'Espérance* partit donc un vendredi, bien gréée[1] et bien
équipée de tout. Ledoux aurait voulu peut-être des mâts
un peu plus solides ; cependant, tant qu'il commanda
le bâtiment, il n'eut point à s'en plaindre. Sa traversée fut
heureuse et rapide jusqu'à la côte d'Afrique. Il mouilla[2] dans
75 la rivière de Joale[3] (je crois) dans un moment où les croiseurs
anglais ne surveillaient point cette partie de la côte. Des
courtiers[4] du pays vinrent aussitôt à bord. Le moment était
on ne peut plus favorable ; Tamango, guerrier fameux
et vendeur d'hommes, venait de conduire à la côte une
80 grande quantité d'esclaves, et il s'en défaisait à bon marché,
en homme qui se sent la force et les moyens d'approvisionner promptement la place, aussitôt que les objets de son
commerce y deviennent rares.

    Le capitaine Ledoux se fit descendre sur le rivage, et fit
85 sa visite à Tamango. Il le trouva dans une case en paille
qu'on lui avait élevée à la hâte, accompagné de ses deux
femmes et de quelques sous-marchands et conducteurs
d'esclaves. Tamango s'était paré pour recevoir le capitaine
blanc. Il était vêtu d'un vieil habit d'uniforme bleu, ayant
90 encore les galons de caporal ; mais sur chaque épaule
pendaient deux épaulettes d'or attachées au même bouton,
et ballottant, l'une par-devant, l'autre par-derrière. Comme
il n'avait pas de chemise, et que l'habit était un peu court
pour un homme de sa taille, on remarquait entre les revers
95 blancs de l'habit et son caleçon de toile de Guinée une
bande considérable de peau noire qui ressemblait à une large

---

notes

1. gréée : garnie de voilures,
de poulies et de cordages.
2. mouilla : s'arrêta, jeta
l'ancre.

3. Joale : ville du Sénégal
située au sud de la capitale
Dakar.

4. courtiers : intermédiaires,
commerçants...

ceinture. Un grand sabre de cavalerie était suspendu à son côté au moyen d'une corde, et il tenait à la main un beau fusil à deux coups, de fabrique anglaise. Ainsi équipé,
100 le guerrier africain croyait surpasser en élégance le petit-maître[1] le plus accompli de Paris ou de Londres.

Le capitaine Ledoux le considéra quelque temps en silence, tandis que Tamango, se redressant à la manière d'un grenadier[2] qui passe à la revue[3] devant un général
105 étranger, jouissait de l'impression qu'il croyait produire sur le Blanc. Ledoux, après l'avoir examiné en connaisseur, se tourna vers son second[4], et lui dit : « Voilà un gaillard que je vendrais au moins mille écus[5], rendu sain et sans avaries[6] à la Martinique. »

110 On s'assit, et un matelot qui savait un peu la langue wolofe[7] servit d'interprète. Les premiers compliments de politesse échangés, un mousse[8] apporta un panier de bouteilles d'eau-de-vie ; on but, et le capitaine, pour mettre Tamango en belle humeur, lui fit présent d'une jolie
115 poire à poudre[9] en cuivre, ornée du portrait de Napoléon en relief. Le présent accepté avec la reconnaissance conve-nable[10], on sortit de la case, on s'assit à l'ombre en face des

notes

1. **petit-maître :** jeune élégant à l'allure maniérée et prétentieuse.

2. **grenadier :** soldat spécialisé dans le lancement des grenades ; par extension, soldat d'élite choisi parmi les hommes de haute taille.

3. **revue :** cérémonie militaire au cours de laquelle les troupes (immobiles ou défilant) sont présentées à un officier supérieur ou un général, à une personnalité.

4. **second :** officier de marine qui commande à bord, immédiatement après le capitaine.

5. **écus :** anciennes pièces de cinq francs en argent.

6. **avaries :** ici, dommages survenus au cours d'un transport maritime.

7. **la langue wolofe :** le wolof (ou ouolof) est une des langues nationales du Sénégal et est aussi parlé dans d'autres pays d'Afrique-Occidentale.

8. **mousse :** jeune garçon de moins de seize ans qui fait, sur un navire, l'apprentissage du métier de marin.

9. **poire à poudre :** ou « corne à poudre », récipient portatif dans lequel on gardait la poudre destinée aux fusils.

10. **convenable :** conforme aux règles de politesse.

bouteilles d'eau-de-vie, et Tamango donna le signal de faire venir les esclaves qu'il avait à vendre.

120   Ils parurent sur une longue file, le corps courbé par la fatigue et la frayeur, chacun ayant le cou pris dans une fourche longue de plus de six pieds, dont les deux pointes étaient réunies vers la nuque par une barre de bois. Quand il faut se mettre en marche, un des conducteurs prend sur
125 son épaule le manche de la fourche du premier esclave ; celui-ci se charge de la fourche de l'homme qui le suit immédiatement ; le second porte la fourche du troisième esclave, et ainsi des autres. S'agit-il de faire halte, le chef de file enfonce en terre le bout pointu du manche
130 de sa fourche, et toute la colonne s'arrête. On juge facilement qu'il ne faut pas penser à s'échapper à la course, quand on porte attaché au cou un gros bâton de six pieds de longueur.

    À chaque esclave mâle ou femelle qui passait devant lui,
135 le capitaine haussait les épaules, trouvait les hommes chétifs[1], les femmes trop vieilles ou trop jeunes, et se plaignait de l'abâtardissement[2] de la race noire. « Tout dégénère, disait-il ; autrefois, c'était bien différent. Les femmes avaient cinq pieds six pouces de haut, et quatre hommes auraient
140 tourné seuls le cabestan[3] d'une frégate[4], pour lever la maîtresse ancre[5]. »

    Cependant, tout en critiquant, il faisait un premier choix des Noirs les plus robustes et les plus beaux. Ceux-là,

notes

1. *chétifs :* faibles, maigres.
2. *abâtardissement :* dégradation, dégénérescence.
3. *cabestan :* treuil à arbre vertical sur lequel peut s'enrouler un câble et qui sert à tirer de lourdes charges.
4. *frégate :* bâtiment de guerre à trois mâts ne portant pas plus de 60 canons.
5. *maîtresse ancre :* ancre principale.

il pouvait les payer au prix ordinaire ; mais, pour le reste,
145 il demandait une forte diminution. Tamango, de son côté,
défendait ses intérêts, vantait sa marchandise, parlait
de la rareté des hommes et des périls de la traite. Il conclut
en demandant un prix, je ne sais lequel, pour les esclaves que
le capitaine blanc voulait charger à son bord.

150 Aussitôt que l'interprète eut traduit en français la proposi-
tion de Tamango, Ledoux manqua tomber à la renverse,
de surprise et d'indignation ; puis, murmurant quelques
jurements affreux, il se leva comme pour rompre tout
marché avec un homme aussi déraisonnable. Alors
155 Tamango le retint ; il parvint avec peine à le faire rasseoir.
Une nouvelle bouteille fut débouchée, et la discussion
recommença. Ce fut le tour du Noir à trouver folles
et extravagantes les propositions du Blanc. On cria,
on disputa[1] longtemps, on but prodigieusement d'eau-de-
160 vie ; mais l'eau-de-vie produisait un effet bien différent sur
les deux parties contractantes[2]. Plus le Français buvait, plus
il réduisait ses offres ; plus l'Africain buvait, plus il cédait
de ses prétentions. De la sorte, à la fin du panier, on tomba
d'accord. De mauvaises cotonnades, de la poudre, des
165 pierres à feu[3], trois barriques d'eau-de-vie, cinquante fusils
mal raccommodés[4] furent donnés en échange de cent
soixante esclaves. Le capitaine, pour ratifier[5] le traité, frappa
dans la main du Noir plus qu'à moitié ivre, et aussitôt les
esclaves furent remis aux matelots français, qui se hâtèrent
170 de leur ôter leurs fourches de bois pour leur donner des

notes

1. *disputa :* discuta.
2. *parties contractantes :*
négociateurs.

3. *pierres à feu :* silex
extraits de la craie blanche
produisant, lorsqu'ils sont
frappés, des étincelles
enflammant la poudre.

4. *raccommodés :* réparés.
5. *ratifier :* confirmer,
valider.

carcans[1] et des menottes en fer : ce qui montre bien la supé=
riorité de la civilisation européenne.

175 Restait encore une trentaine d'esclaves : c'étaient des enfants, des vieillards, des femmes infirmes. Le navire était plein.

Tamango, qui ne savait que faire de ce rebut[2], offrit au capitaine de les lui vendre pour une bouteille d'eau-de-vie la pièce. L'offre était séduisante. Ledoux se souvint qu'à la représentation des *Vêpres Siciliennes*[3] à Nantes, il avait
180 vu bon nombre de gens gros et gras entrer dans un parterre[4] déjà plein, et parvenir cependant à s'y asseoir, en vertu de la compressibilité des corps humains. Il prit les vingt plus sveltes[5] des trente esclaves.

Alors Tamango ne demanda plus qu'un verre d'eau-
185 de-vie pour chacun des dix restants. Ledoux réfléchit que les enfants ne paient et n'occupent que demi-place dans les voitures publiques. Il prit donc trois enfants ; mais il déclara qu'il ne voulait plus se charger d'un seul Noir. Tamango, voyant qu'il lui restait encore sept esclaves sur les bras, saisit
190 son fusil et coucha en joue[6] une femme qui venait la première : c'était la mère des trois enfants. « Achète, dit-il au Blanc, ou je la tue ; un petit verre d'eau-de-vie ou je tire. – Et que diable veux-tu que j'en fasse ? » répondit Ledoux. Tamango fit feu, et l'esclave tomba morte à terre.
195 « Allons, à un autre, s'écria Tamango en visant un vieillard tout cassé : un verre d'eau-de-vie, ou bien... » Une des femmes lui détourna le bras, et le coup partit au hasard. Elle

notes

1. **carcans :** colliers de fer.
2. **rebut :** reste.
3. **Vêpres Siciliennes :** tragédie de Casimir Delavigne qui fut représentée la première fois en octobre 1819.
4. **parterre :** partie du rez-de-chaussée d'une salle de théâtre.
5. **sveltes :** élancés ; grands et minces.
6. **coucha en joue :** visa (en ajustant son fusil à l'épaule et contre la joue).

venait de reconnaître dans le vieillard que son mari allait tuer un *guiriot*[1] ou magicien, qui lui avait prédit qu'elle serait
200 reine.

Tamango, que l'eau-de-vie avait rendu furieux, ne se posséda plus en voyant qu'on s'opposait à ses volontés. Il frappa rudement sa femme de la crosse de son fusil ; puis se tournant vers Ledoux : « Tiens, dit-il, je te donne cette
205 femme. » Elle était jolie. Ledoux la regarda en souriant, puis il la prit par la main : « Je trouverai bien où la mettre », dit-il.

L'interprète était un homme humain. Il donna une tabatière de carton[2] à Tamango, et lui demanda les six esclaves restants. Il les délivra de leurs fourches, et leur permit de s'en
210 aller où bon leur semblerait. Aussitôt ils se sauvèrent, qui de çà, qui de là, fort embarrassés de retourner dans leur pays à deux cents lieues[3] de la côte.

Cependant le capitaine dit adieu à Tamango et s'occupa de faire au plus vite embarquer sa cargaison. Il n'était pas
215 prudent de rester longtemps en rivière ; les croiseurs pourraient reparaître, et il voulait appareiller[4] le lendemain. Pour Tamango, il se coucha sur l'herbe, à l'ombre, et dormit pour cuver son eau-de-vie.

notes

1. guiriot : griot, membre de la caste des poètes musiciens, dépositaires de la tradition orale. Les griots sont très respectés en Afrique.

2. tabatière de carton : petite boîte en carton destinée à conserver du tabac.

3. lieue : ancienne mesure équivalant à 4 km environ.
4. appareiller : lever l'ancre.

Au fil du texte

AVEZ-VOUS BIEN LU ?

1. Complétez les phrases suivantes :

a) L'Espérance navigue jusqu'à ....

b) Quand il reçoit Ledoux, Tamango tient à la main un beau ....

c) Un matelot, qui sait un peu de langue ...., sert d'interprète.

d) Un mousse apporte un panier contenant des bouteilles d'... .

2. Pour quelle raison Tamango veut-il vendre ses esclaves « *à bon marché* » ?

3. Qu'offre Ledoux à Tamango pour le mettre de « *belle humeur* » ?

4. Par quoi sont remplacées les fourches de bois une fois les esclaves vendus ?

5. Combien d'esclaves Tamango souhaite-t-il vendre ?

ÉTUDIER LA GRAMMAIRE ET LE VOCABULAIRE

6. Donnez trois exemples de verbes au présent de l'indicatif qui illustreront trois valeurs différentes de ce temps.

7. Cherchez l'étymologie★ des mots *esclave* et *servile*, puis donnez trois mots appartenant à la même famille★ pour chacun d'eux.

* *étymologie :* origine d'un mot.

* *famille (de mots) :* mots formés à partir d'un radical commun.

8. Décomposez le mot *déraisonnable* et citez deux adjectifs construits de la même façon.

9. Quel terme désigne la libération d'un esclave ?

ÉTUDIER UN THÈME : LA « TRAITE NÉGRIÈRE »

10. Quelles sont les différentes étapes de la transaction dans ces pages ?

11. Par qui Ledoux est-il informé de la vente d'esclaves ?

12. D'où viennent les esclaves vendus par Tamango ?

13. De quelle façon les produits proposés par Ledoux sont-ils présentés dans le texte ?

14. Pourquoi Ledoux doit-il repartir rapidement ?

15. Par quel moyen Ledoux a-t-il réussi à sortir vainqueur de la négociation ?

ÉTUDIER LE DISCOURS

16. Relevez deux intrusions du narrateur*
à la 1re personne. Quelle fonction ont-elles ?

17. Le narrateur intervient aussi pour donner des explications : citez un exemple et expliquez son intérêt.

18. Relevez un commentaire ironique* du narrateur. En quoi est-il important pour la compréhension de la scène dans son ensemble ?

* **narrateur :** celui qui raconte l'histoire.

* **ironique :** l'ironie consiste à faire entendre et comprendre le contraire de ce que l'on dit. Ex. : « Quel temps superbe !... » (Alors qu'une pluie battante inonde le paysage.)

ÉCRITURE

19. Relevez les aspects dérisoires, ridicules ou grotesques présents dans la présentation et la description de Tamango.

20. Notez quelques phrases qui nous donnent accès aux pensées intimes de Ledoux. Par quels verbes ces intrusions dans la conscience du personnage sont-elles introduites ? Ces pensées intimes montrent-elles les doutes, les questionnements du personnage ou, au contraire, son imperturbable bonne conscience ?

21. Comment Ledoux réagit-il lorsque Tamango menace et tue une esclave ?

LIRE L'IMAGE

22. Quelle étape de la « traite négrière » est exposée dans le document de la page 19 ? Quels éléments rendent la scène particulièrement dramatique ?

EXPOSÉ

23. Préparez un exposé sur les lieux de « traite des Noirs » en Afrique au XIXe siècle.

À VOS PLUMES !

24. Un des esclaves présents raconte la façon dont il a été capturé, son cheminement et sa vente...

Quand il se réveilla, le vaisseau était déjà sous voiles[1] et descendait la rivière. Tamango, la tête encore embarrassée de la débauche de la veille, demanda sa femme Ayché. On lui répondit qu'elle avait eu le malheur de lui déplaire, et qu'il l'avait donnée en présent au capitaine blanc, lequel l'avait emmenée à son bord. À cette nouvelle, Tamango stupéfait se frappa la tête, puis il prit son fusil, et, comme la rivière faisait plusieurs détours avant de se décharger dans la mer, il courut, par le chemin le plus direct, à une petite anse[2] éloignée de l'embouchure[3] d'une demi-lieue. Là il espérait trouver un canot avec lequel il pourrait joindre le brick, dont les sinuosités[4] de la rivière devaient retarder la marche. Il ne se trompait pas : en effet il eut le temps de se jeter dans un canot et de joindre le négrier.

Ledoux fut surpris de le voir, mais encore plus de l'entendre redemander sa femme. « Bien donné ne se reprend plus », répondit-il ; et il lui tourna le dos. Le Noir insista, offrant de rendre une partie des objets qu'il avait reçus en échange des esclaves. Le capitaine se mit à rire, dit qu'Ayché était une très bonne femme, et qu'il voulait la garder. Alors le pauvre Tamango versa un torrent de larmes, et poussa des cris de douleur aussi aigus que ceux d'un malheureux qui subit une opération chirurgicale. Tantôt il se roulait sur le pont en appelant sa chère Ayché ; tantôt il se frappait la tête contre les planches, comme pour se tuer. Toujours impassible, le capitaine, en lui montrant le rivage, lui faisait signe qu'il était temps pour lui de s'en

notes

1. *était déjà sous voiles :* naviguait déjà.
2. *anse :* petite baie peu profonde.
3. *embouchure :* ouverture par laquelle le fleuve se déverse dans la mer.
4. *sinuosités :* méandres, courbes.

aller ; mais Tamango persistait. Il offrit jusqu'à ses épaulettes d'or, son fusil et son sabre. Tout fut inutile.

Pendant ce débat, le lieutenant de *L'Espérance* dit au capitaine : « Il nous est mort cette nuit trois esclaves, nous avons
250 de la place. Pourquoi ne prendrions-nous pas ce vigoureux coquin, qui vaut mieux à lui seul que les trois morts ? » Ledoux fit réflexion que Tamango se vendrait bien mille écus ; que ce voyage, qui s'annonçait comme très profitable pour lui, serait probablement son dernier ; qu'enfin
255 sa fortune étant faite, et lui renonçant au commerce d'esclaves, peu lui importait de laisser à la côte de Guinée une bonne ou une mauvaise réputation. D'ailleurs, le rivage était désert, et le guerrier africain entièrement à sa merci. Il ne s'agissait plus que de lui enlever ses armes, car il eût été
260 dangereux de mettre la main sur lui pendant qu'il les avait encore en sa possession. Ledoux lui demanda donc son fusil, comme pour l'examiner et s'assurer s'il valait bien autant que la belle Ayché. En faisant jouer les ressorts, il eut soin de laisser tomber la poudre de l'amorce[1]. Le lieutenant
265 de son côté maniait le sabre ; et, Tamango se trouvant ainsi désarmé, deux vigoureux matelots se jetèrent sur lui, le renversèrent sur le dos, et se mirent en devoir de le garrotter[2]. La résistance du Noir fut héroïque. Revenu de sa première surprise, et malgré le désavantage de sa position,
270 il lutta longtemps contre les deux matelots. Grâce à sa force prodigieuse, il parvint à se relever. D'un coup de poing il terrassa l'homme qui le tenait au collet[3] ; il laissa un morceau de son habit entre les mains de l'autre matelot,

notes

1. **amorce :** petite masse permettant la mise à feu de la poudre.
2. **garrotter :** attacher solidement.
3. **collet :** cou.

et s'élança comme un furieux sur le lieutenant pour lui
275 arracher son sabre. Celui-ci l'en frappa à la tête, et lui fit une
blessure large, mais peu profonde. Tamango tomba une
seconde fois. Aussitôt on lui lia fortement les pieds et les
mains. Tandis qu'il se défendait, il poussait des cris de rage
et s'agitait comme un sanglier pris dans les toiles[1] ; mais,
280 lorsqu'il vit que toute résistance était inutile, il ferma les
yeux et ne fit plus aucun mouvement. Sa respiration forte
et précipitée prouvait seule qu'il était encore vivant.

« Parbleu ! s'écria le capitaine Ledoux, les Noirs qu'il
a vendus vont rire de bon cœur en le voyant esclave à son
285 tour. C'est pour le coup qu'ils verront bien qu'il y a une
Providence[2]. » Cependant le pauvre Tamango perdait tout
son sang. Le charitable interprète, qui la veille avait sauvé
la vie à six esclaves, s'approcha de lui, banda sa blessure et lui
adressa quelques paroles de consolation. Ce qu'il put lui
290 dire, je l'ignore. Le Noir restait immobile, ainsi qu'un
cadavre. Il fallut que deux matelots le portassent comme
un paquet dans l'entrepont, à la place qui lui était destinée.
Pendant deux jours il ne voulut ni boire ni manger, à peine
lui vit-on ouvrir les yeux. Ses compagnons de captivité,
295 autrefois ses prisonniers, le virent paraître au milieu d'eux
avec un étonnement stupide. Telle était la crainte qu'il leur
inspirait encore, que pas un seul n'osa insulter à[3] la misère
de celui qui avait causé la leur.

Favorisé par un bon vent de terre, le vaisseau s'éloignait
300 rapidement de la côte d'Afrique. Déjà sans inquiétude

notes

1. toiles : elles désignent ici
des grands filets que l'on
déployait, lors de certaines
chasses, pour capturer
un sanglier.

2. Providence : pouvoir
de Dieu sur la création,
volonté divine.
3. insulter à : se moquer de.

au sujet de la croisière[1] anglaise, le capitaine ne pensa.
qu'aux énormes bénéfices qui l'attendaient dans les colo...
vers lesquelles il se dirigeait. Son bois d'ébène se maintena...
sans avaries. Point de maladies contagieuses. Douze Nègres
305 seulement, et des plus faibles, étaient morts de chaleur :
c'était bagatelle[2]. Afin que sa cargaison humaine souffrît
le moins possible des fatigues de la traversée, il avait l'inten-
tion de faire monter tous les jours ses esclaves sur le pont.
Tour à tour un tiers de ces malheureux avait une heure pour
310 faire sa provision d'air de toute la journée. Une partie
de l'équipage les surveillait armée jusqu'aux dents, de peur
de révolte ; d'ailleurs on avait soin de ne jamais ôter entièrement leurs fers. Quelquefois un matelot qui savait jouer
du violon les régalait d'un concert. Il était alors curieux
315 de voir toutes ces figures noires se tourner vers le musicien,
perdre par degrés leur expression de désespoir stupide, rire
d'un gros rire et battre des mains quand leurs chaînes le leur
permettaient. — L'exercice est nécessaire à la santé ; aussi
l'une des salutaires pratiques du capitaine Ledoux, c'était
320 de faire souvent danser ses esclaves, comme on fait piaffer[3]
des chevaux embarqués pour une longue traversée.
« Allons, mes enfants, dansez, amusez-vous », disait le capitaine d'une voix de tonnerre, en faisant claquer un énorme
fouet de poste[4] ; et aussitôt les pauvres Noirs sautaient
325 et dansaient.

---

notes

1. croisière : navires de guerre qui surveillent des parages déterminés.
2. bagatelle : négligeable.

3. piaffer : se dit d'un cheval qui, sans avancer, frappe le sol en levant et en abaissant alternativement chacune des pattes antérieures.

4. fouet de poste : fouet pourvu d'une petite corde fine et serrée que les cochers utilisaient pour les chevaux.

« Esclaves dans la cale d'un navire », lithographie de Johann Moritz Rugendas (1935).

plus
es

Quelque temps la blessure de Tamango le retint sous les écoutilles[1]. Il parut enfin sur le pont ; et d'abord, relevant la tête avec fierté au milieu de la foule craintive des esclaves, il jeta un coup d'œil triste, mais calme, sur l'immense
330 étendue d'eau qui environnait le navire, puis il se coucha, ou plutôt se laissa tomber sur les planches du tillac[2], sans prendre même le soin d'arranger ses fers de manière qu'ils lui fussent moins incommodes. Ledoux, assis au gaillard d'arrière[3], fumait tranquillement sa pipe. Près de lui, Ayché,
335 sans fers, vêtue d'une robe élégante de cotonnade bleue, les pieds chaussés de jolies pantoufles de maroquin[4], portant à la main un plateau chargé de liqueurs, se tenait prête à lui verser à boire. Il était évident qu'elle remplissait de hautes fonctions auprès du capitaine. Un Noir, qui détestait
340 Tamango, lui fit signe de regarder de ce côté. Tamango tourna la tête, l'aperçut, poussa un cri ; et, se levant avec impétuosité[5], courut vers le gaillard d'arrière avant que les matelots de garde eussent pu s'opposer à une infraction aussi énorme de toute discipline navale : « Ayché ! cria-t-il d'une
345 voix foudroyante, et Ayché poussa un cri de terreur ; crois-tu que dans le pays des Blancs il n'y ait point de MAMA-JUMBO[6] ? » Déjà des matelots accouraient le bâton levé ; mais Tamango, les bras croisés, et comme insensible, retournait tranquillement à sa place, tandis qu'Ayché,

notes

1. écoutilles : ouvertures rectangulaires pratiquées dans le pont d'un navire et qui permettent l'accès à l'intérieur du navire.
2. tillac : pont supérieur du navire.
3. gaillard d'arrière : partie extrême du pont supérieur, à l'arrière du grand mât.

4. maroquin : peau de chèvre ou de mouton, tannée et teinte.
5. impétuosité : vivacité, fougue.
6. Mama-Jumbo : l'explorateur écossais Mungo Park (1771-1806) raconte dans son *Voyage dans l'intérieur de l'Afrique*

la légende de « mombo-jombo » : « *Cet étrange épouvantail se trouve dans toutes les villes mandingues, et les Nègres païens ou kafirs s'en servent pour tenir leurs femmes dans la sujétion.* »

350 fondant en larmes, semblait pétrifiée par ces mystérieuses paroles.

L'interprète expliqua ce qu'était ce terrible Mama-Jumbo, dont le seul nom produisait tant d'horreur. « C'est le Croquemitaine[1] des Nègres, dit-il. Quand un mari a 355 peur que sa femme ne fasse ce que font bien des femmes en France comme en Afrique, il la menace du Mama-Jumbo. Moi, qui vous parle, j'ai vu le Mama-Jumbo, et j'ai compris la ruse ; mais les Noirs... comme c'est simple[2], cela ne comprend rien. – Figurez-vous qu'un soir, pendant que 360 les femmes s'amusaient à danser, à faire un *folgar*[3], comme ils disent dans leur jargon[4], voilà que d'un petit bois bien touffu et bien sombre on entend une musique étrange, sans que l'on vît personne pour la faire ; tous les musiciens étaient cachés dans le bois. Il y avait des flûtes de roseau, des 365 tambourins de bois, des *balafos*[5], et des guitares faites avec des moitiés de calebasses[6]. Tout cela jouait un air à porter le diable en terre. Les femmes n'ont pas plutôt[7] entendu cet air-là, qu'elles se mettent à trembler ; elles veulent se sauver, mais les maris les retiennent : elles savaient bien ce qui leur 370 pendait à l'oreille. Tout à coup sort du bois une grande figure blanche, haute comme notre mât de perroquet[8], avec une tête grosse comme un boisseau[9], des yeux larges comme

notes

1. Croquemitaine : personnage imaginaire dont on menace les enfants pour les effrayer et s'en faire obéir.
2. simple : crédule, niais.
3. folgar : fête villageoise.
4. jargon : charabia.
5. balafos : balafons, instruments à percussion de l'Afrique noire formés de lames, comme

le xylophone, et de calebasses servant de caisses de résonance.
6. calebasses : récipients formés par ce fruit vidé et séché.
7. pas plutôt : cette tournure, suivie d'un participe passé, peut être remplacée par « à peine » (« À peine les femmes

ont-elles entendu cet air-là qu'elles se mettent à trembler »).
8. mât de perroquet : mât situé au-dessus du mât de hune (plate-forme arrondie à l'avant du navire).
9. boisseau : ancienne mesure de capacité (environ 1 décalitre).

des écubiers[1], et une gueule comme celle du diable, avec du feu dedans. Cela marchait lentement, lentement ; et cela 375 n'alla pas plus loin qu'à demi-encablure[2] du bois. Les femmes criaient : « Voilà Mama-Jumbo. » Elles braillaient comme des vendeuses d'huîtres. Alors les maris leur disaient : « Allons, coquines, dites-nous si vous avez été sages ; si vous mentez, Mama-Jumbo est là pour vous 380 manger toutes crues. » Il y en avait qui étaient assez simples pour avouer, et alors les maris les battaient comme plâtre[3].

— Et qu'était-ce donc que cette figure blanche, ce Mama-Jumbo ? demanda le capitaine.

— Eh bien ! c'était un farceur affublé[4] d'un grand drap 385 blanc, portant, au lieu de tête, une citrouille creusée et garnie d'une chandelle allumée au bout d'un grand bâton. Cela n'est pas plus malin, et il ne faut pas de grands frais d'esprit pour attraper les Noirs. Avec tout cela, c'est une bonne invention que le Mama-Jumbo, et je voudrais que 390 ma femme y crût.

— Pour la mienne, dit Ledoux, si elle n'a pas peur de Mama-Jumbo, elle a peur de Martin-Bâton[5] ; et elle sait de reste comment je l'arrangerais si elle me jouait quelque tour. Nous ne sommes pas endurants[6] dans la famille des 395 Ledoux, et quoique je n'aie qu'un poignet, il manie encore assez bien une garcette[7]. Quant à votre drôle[8] là-bas, qui

notes

1. **écubiers :** chacune des ouvertures ménagées à l'avant d'un navire, de chaque côté de l'étrave, pour le passage des câbles ou des chaînes.
2. **encablure :** ancienne mesure de longueur utilisée pour les câbles des ancres,

permettant l'estimation des petites distances, et qui valait environ 200 m.
3. **battaient comme plâtre :** frappaient avec violence (comme le plâtre qu'on pulvérisait en le battant).
4. **affublé :** curieusement vêtu.

5. **Martin-Bâton :** désigne la trique, le bâton en langage populaire.
6. **endurants :** patients.
7. **garcette :** petite tresse faite de vieux cordages avec laquelle on donnait les punitions.
8. **drôle :** canaille, bandit.

parle du Mama-Jumbo, dites-lui qu'il se tienne bien et qu'il ne fasse pas peur à la petite mère que voici, ou je lui ferai si bien ratisser l'échine, que son cuir, de noir, deviendra
400 rouge comme un rosbif cru. »

À ces mots, le capitaine descendit dans sa chambre, fit venir Ayché et tâcha de la consoler : mais ni les caresses, ni les coups même, car on perd patience à la fin, ne purent rendre traitable[1] la belle Négresse ; des flots de larmes
405 coulaient de ses yeux. Le capitaine remonta sur le pont, de mauvaise humeur, et querella l'officier de quart[2] sur la manœuvre qu'il commandait dans le moment.

notes

1. traitable : docile.
2. quart : période de 4 heures (autrefois de 6 heures, soit le quart de 24 heures), pendant laquelle une partie de l'équipage, à tour de rôle, est de service.

Au fil du texte

AVEZ-VOUS BIEN LU ?

1. Complétez les phrases suivantes :

a) À son réveil, Tamango demande sa femme, qui se nomme ....

b) Lors du combat pour capturer Tamango, celui-ci est blessé à la tête par ....

c) Les captifs noirs battent des mains et se réjouissent quand un matelot joue ....

d) Tamango menace sa femme des représailles d'un « *Croquemitaine* » nommé ....

2. Qu'offre Tamango pour retrouver sa femme ?

3. Qui suggère à Ledoux de capturer Tamango ?

4. Qui soigne Tamango après sa blessure ?

ÉTUDIER LA GRAMMAIRE

5. Relevez les subordonnées présentes dans le premier paragraphe de l'extrait (l. 219-232) et donnez leur nature.

6. Relevez deux verbes conjugués au mode conditionnel et deux verbes conjugués au mode subjonctif. Donnez la conjugaison complète de chacun de ces verbes et expliquez l'utilisation de ces modes dans les exemples relevés.

ÉTUDIER L'ORTHOGRAPHE ET LE VOCABULAIRE

7. Mettez au pluriel « *Le Noir* » et faites les modifications nécessaires dans le passage qui va de « *Le Noir restait immobile, ainsi qu'un cadavre* » (l. 290) jusqu'à « *celui qui avait causé la leur* » (l. 298).

8. Donnez deux synonymes* de l'adjectif *impassible* (l. 244) et dites à qui cet adjectif est appliqué dans le texte.

9. Relevez les mots appartenant au champ lexical* du navire.

10. Donnez la signification du mot *avarie*. Dans quel contexte ce mot apparaît-il ?

11. Cherchez l'étymologie* du mot *pétrifié* et donnez-en deux synonymes.

12. Quelle est l'étymologie du mot *parbleu* ? S'emploie-t-il encore de nos jours ?

ÉTUDIER LA « TRAITE NÉGRIÈRE »

13. À quel(s) moment(s) la mortalité des esclaves noirs est-elle évoquée ? Le narrateur* explique-t-il ces morts ? Quelles étaient, selon vous, les causes de mortalité à bord d'un navire négrier ?

14. Pour quelles raisons Ledoux décide-t-il de capturer Tamango ?

15. Quelles sont les mesures prises par Ledoux pour maintenir « *en forme* » sa « *cargaison* » ? Que pensez-vous de ces mesures ?

* synonymes : mots ayant des significations similaires ou très proches.

* champ lexical : ensemble de mots qui, dans un texte donné, se rapportent à un même thème.

* étymologie : origine des mots.

* narrateur : celui qui raconte l'histoire.

ÉTUDIER LE DISCOURS

16. Comment appelle-t-on une tournure comme
« *Il nous est mort* » (l. 249) ? Que traduit-elle
de la part du lieutenant ?

17. Citez un passage où les pensées de Ledoux
seront restituées par un discours indirect libre*.

18. Y a-t-il, dans cet extrait, une nouvelle intrusion
du narrateur à la 1re personne ?

ÉCRITURE

19. Relevez deux comparaisons* appliquées
à Tamango et expliquez-les.

20. Relevez des expressions ou mots péjoratifs*
utilisés pour qualifier les Noirs. Qu'indique
ce vocabulaire ?

21. À qui Prosper Mérimée a-t-il emprunté
la référence à Mama-Jumbo ? Qui raconte cette
coutume dans son récit ? Pourquoi, selon vous ?

22. Analysez le comportement et les commentaires
de Ledoux après l'exposé de cette légende.
Que montrent-ils ?

LIRE L'IMAGE

23. Observez l'illustration de Rugendas représentant
l'intérieur d'un navire négrier (p. 30). Cette image
correspond-elle aux conditions d'incarcération
à bord de *L'Espérance* ? Quels éléments rendent
l'image dramatique ? Quels sont ceux qui, au
contraire, présentent la déportation sous un jour
moins cruel ?

* *discours indirect libre* : procédé intermédiaire entre le discours direct et le discours indirect, le discours indirect libre supprime les verbes introducteurs et la subordination, et cite les propos sans les guillemets.

* *comparaison* : procédé qui consiste à établir un rapprochement, une analogie entre deux éléments différents par le biais d'un outil grammatical tel que « comme », « semblable à », « pareil à »...

* *péjoratif* : qui donne une image négative.

RECHERCHES ET EXPOSÉS

24. Préparez un exposé sur les conditions de vie à bord d'un navire négrier.

25. Quelles étaient les étapes de la construction des bateaux à cette époque ? En vous aidant des documents et des informations trouvés sur le site Internet du musée de la Marine parisien, faites un exposé sur ce sujet... Le musée de la Marine de Lorient (à Port-Louis) ou celui de Paris proposent également des maquettes instructives et suggestives sur le sujet.

À VOS PLUMES !

26. Imaginez le récit du combat entre Tamango et les marins fait par le « *charitable* » interprète.

27. L'interprète tient son journal de bord : reconstituez trois journées de ce journal...

La nuit, lorsque presque tout l'équipage dormait d'un profond sommeil, les hommes de garde entendirent d'abord un chant grave, solennel, lugubre[1], qui partait de l'entrepont, puis un cri de femme horriblement aigu. Aussitôt après, la grosse voix de Ledoux jurant et menaçant, et le bruit de son terrible fouet, retentirent dans tout le bâtiment. Un instant après tout rentra dans le silence. Le lendemain, Tamango parut sur le pont la figure meurtrie, mais l'air aussi fier, aussi résolu qu'auparavant.

À peine Ayché l'eut-elle aperçu, que, quittant le gaillard d'arrière où elle était assise à côté du capitaine, elle courut avec rapidité vers Tamango, s'agenouilla devant lui, et lui dit avec un accent de désespoir concentré : « Pardonne-moi, Tamango, pardonne-moi ! » Tamango la regarda fixement pendant une minute ; puis, remarquant que l'interprète était éloigné : « Une lime ! » dit-il ; et il se coucha sur le tillac en tournant le dos à Ayché. Le capitaine la réprimanda vertement, lui donna même quelques soufflets[2], et lui défendit de parler à son ex-mari ; mais il était loin de soupçonner le sens des courtes paroles qu'ils avaient échangées, et il ne fit aucune question à ce sujet.

Cependant Tamango, renfermé avec les autres esclaves, les exhortait[3] jour et nuit à tenter un effort généreux pour recouvrer[4] leur liberté. Il leur parlait du petit nombre des Blancs, et leur faisait remarquer la négligence toujours croissante de leurs gardiens ; puis, sans s'expliquer nettement, il disait qu'il saurait les ramener dans leur pays, vantait son

notes

1. *lugubre :* sinistre, triste.
2. *soufflets :* gifles.
3. *exhortait :* encourageait.
4. *recouvrer :* reprendre.

savoir dans les sciences occultes[1], dont les Noirs sont fort entichés[2], et menaçait de la vengeance du diable ceux qui se refuseraient à l'aider dans son entreprise. Dans ses harangues[3], il ne se servait que du dialecte des Peuls[4], qu'entendaient[5] la plupart des esclaves, mais que l'interprète ne comprenait pas. La réputation de l'orateur, l'habitude qu'avaient les esclaves de le craindre et de lui obéir, vinrent merveilleusement au secours de son éloquence[6], et les Noirs le pressèrent de fixer un jour pour leur délivrance, bien avant que lui-même se crût en état de l'effectuer. Il répondit vaguement aux conjurés[7] que le temps n'était pas venu, et que le diable, qui lui apparaissait en songe, ne l'avait pas encore averti, mais qu'ils eussent à se tenir prêts au premier signal. Cependant il ne négligeait aucune occasion de faire des expériences sur la vigilance de ses gardiens. Une fois, un matelot, laissant son fusil appuyé contre les plats-bords[8], s'amusait à regarder une troupe de poissons volants qui suivaient le vaisseau ; Tamango prit le fusil et se mit à le manier, imitant avec des gestes grotesques les mouvements qu'il avait vu faire à des matelots qui faisaient l'exercice. On lui retira le fusil au bout d'un instant ; mais il avait appris qu'il pourrait toucher une arme sans éveiller immédiatement le soupçon ; et, quand le temps viendrait de s'en servir, bien hardi[9] celui qui voudrait la lui arracher des mains.

(440, 445, 450, 455, 460)

notes

1. sciences occultes : pratiques secrètes touchant à la magie et aux arts divinatoires.
2. entichés : passionnés.
3. harangues : discours solennels prononcés par un haut personnage devant une assemblée.

4. Peuls : peuple d'Afrique-Occidentale que l'on retrouve notamment aujourd'hui en Guinée, au Sénégal et au Mali.
5. entendaient : comprenaient.
6. éloquence : facilité d'expression orale.

7. conjurés : conspirateurs, comploteurs.
8. plats-bords : ceintures en bois entourant les ponts sur un navire.
9. hardi : téméraire, imprudent.

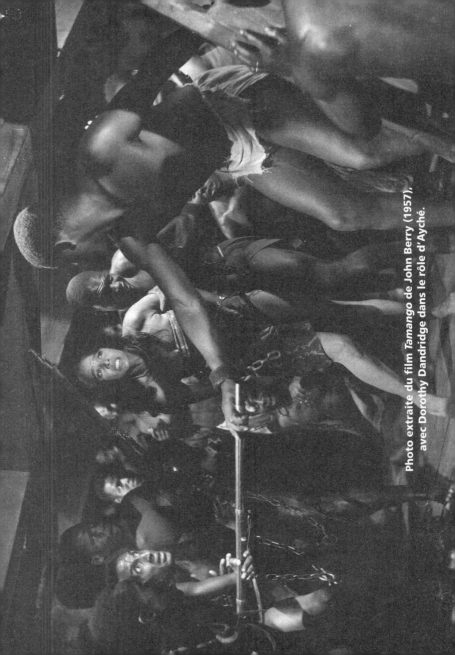

Photo extraite du film *Tamango* de John Berry (1957), avec Dorothy Dandridge dans le rôle d'Ayché.

Un jour, Ayché lui jeta un biscuit en lui faisant un signe que lui seul comprit. Le biscuit contenait une petite lime : c'était de cet instrument que dépendait la réussite du complot. D'abord Tamango se garda bien de montrer
465 la lime à ses compagnons ; mais, lorsque la nuit fut venue, il se mit à murmurer des paroles inintelligibles qu'il accompagnait de gestes bizarres. Par degrés il s'anima jusqu'à pousser des cris. À entendre les intonations variées de sa voix, on eût dit qu'il était engagé dans une conversa-
470 tion animée avec une personne invisible. Tous les esclaves tremblaient, ne doutant pas que le diable ne fût en ce moment même au milieu d'eux. Tamango mit fin à cette scène en poussant un cri de joie. « Camarades, s'écria-t-il, l'esprit que j'ai conjuré[1] vient enfin de
475 m'accorder ce qu'il m'avait promis, et je tiens dans mes mains l'instrument de notre délivrance. Maintenant il ne vous faut plus qu'un peu de courage pour vous faire libres. » Il fit toucher la lime à ses voisins, et la fourbe[2], toute grossière qu'elle était, trouva créance[3] auprès d'hommes
480 encore plus grossiers.

Après une longue attente vint le grand jour de vengeance et de liberté. Les conjurés, liés entre eux par un serment solennel, avaient arrêté leur plan après une mûre délibéra-tion. Les plus déterminés, ayant Tamango à leur tête,
485 lorsqu'ils monteraient à leur tour sur le pont, devaient s'emparer des armes de leurs gardiens ; quelques autres iraient à la chambre du capitaine pour y prendre les fusils qui s'y trouvaient. Ceux qui seraient parvenus à limer leurs fers devaient commencer l'attaque ; mais, malgré le travail

notes

1. ***conjuré :*** supplié, imploré.   2. ***fourbe :*** ruse.   3. ***trouva créance :*** fut crue.

490 opiniâtre[1] de plusieurs nuits, le plus grand nombre des esclaves était encore incapable de prendre une part énergique à l'action. Aussi trois Noirs robustes avaient la charge de tuer l'homme qui portait dans sa poche la clef des fers, et d'aller aussitôt délivrer leurs compagnons enchaînés.

495 Ce jour-là, le capitaine Ledoux était d'une humeur charmante ; contre sa coutume, il fit grâce à un mousse qui avait mérité le fouet. Il complimenta l'officier de quart sur sa manœuvre, déclara à l'équipage qu'il était content, et lui annonça qu'à la Martinique, où ils arriveraient dans peu,
500 chaque homme recevrait une gratification[2]. Tous les matelots, entretenant de si agréables idées, faisaient déjà dans leur tête l'emploi de cette gratification. Ils pensaient à l'eau-de-vie et aux femmes de couleur de la Martinique, lorsqu'on fit monter sur le pont Tamango et les autres
505 conjurés.

Ils avaient eu soin de limer leurs fers de manière qu'ils ne parussent pas être coupés, et que le moindre effort suffit cependant pour les rompre. D'ailleurs ils les faisaient si bien résonner, qu'à les entendre on eût dit qu'ils en portaient
510 un double poids. Après avoir humé l'air quelque temps, ils se prirent tous par la main et se mirent à danser pendant que Tamango entonnait le chant guerrier de sa famille[3], qu'il chantait autrefois avant d'aller au combat. Quand la danse eut duré quelque temps, Tamango, comme épuisé de
515 fatigue, se coucha tout de son long au pied d'un matelot qui s'appuyait nonchalamment[4] contre les plats-bords du

notes

1. **opiniâtre :** acharné, intense.
2. **gratification :** récompense.
3. *« Chaque capitaine nègre a le sien »* (note de Mérimée).
4. **nonchalamment :** paresseusement.

navire ; tous les conjurés en firent autant. De la sorte, chaque matelot était entouré de plusieurs Noirs.

520 Tout à coup Tamango, qui venait doucement de rompre ses fers, pousse un grand cri, qui devait servir de signal, tire violemment par les jambes le matelot qui se trouvait près de lui, le culbute, et, lui mettant le pied sur le ventre, lui arrache son fusil, et s'en sert pour tuer l'officier de quart. En même temps, chaque matelot de garde est assailli, 525 désarmé et aussitôt égorgé. De toutes parts un cri de guerre s'élève. Le contremaître, qui avait la clef des fers, succombe un des premiers. Alors une foule de Noirs inondent le tillac. Ceux qui ne peuvent trouver d'armes saisissent les barres du cabestan ou les rames de la chaloupe. Dès ce moment, 530 l'équipage européen fut perdu. Cependant quelques matelots firent tête sur le gaillard d'arrière ; mais ils manquaient d'armes et de résolution. Ledoux était encore vivant et n'avait rien perdu de son courage. S'apercevant que Tamango était l'âme de la conjuration[1], il espéra que s'il 535 pouvait le tuer il aurait bon marché de ses complices[2]. Il s'élança donc à sa rencontre le sabre à la main en l'appelant à grands cris. Aussitôt Tamango se précipita sur lui. Il tenait un fusil par le bout du canon et s'en servait comme d'une massue. Les deux chefs se joignirent sur un des passavants[3], 540 ce passage étroit qui communique du gaillard d'avant à l'arrière. Tamango frappa le premier. Par un léger mouvement de corps, le Blanc évita le coup. La crosse, tombant avec force sur les planches, se brisa, et le contrecoup fut si violent que le fusil échappa des mains de Tamango. Il était

notes

1. **conjuration :** conspiration, révolte.

2. **il aurait bon marché de ses complices :** il se débarrasserait de ses complices sans difficulté.

3. **passavants :** partie du pont supérieur qui servait de passage entre l'avant et l'arrière du navire.

545 sans défense, et Ledoux, avec un sourire de joie diabolique, levait le bras et allait le percer ; mais Tamango était aussi agile que les panthères de son pays. Il s'élança dans les bras de son adversaire, et lui saisit la main dont il tenait son sabre. L'un s'efforce de retenir son arme, l'autre de l'arracher. Dans
550 cette lutte furieuse, ils tombent tous les deux ; mais l'Africain avait le dessous. Alors, sans se décourager, Tamango, étreignant son adversaire de toute sa force, le mordit à la gorge avec tant de violence que le sang jaillit comme sous la dent d'un lion. Le sabre échappa de la main défaillante
555 du capitaine. Tamango s'en saisit ; puis, se relevant, la bouche sanglante, et poussant un cri de triomphe, il perça de coups redoublés son ennemi déjà demi-mort.

La victoire n'était plus douteuse. Le peu de matelots qui restaient essayèrent d'implorer la pitié des révoltés ; mais
560 tous, jusqu'à l'interprète, qui ne leur avait jamais fait de mal, furent impitoyablement massacrés. Le lieutenant mourut avec gloire. Il s'était retiré à l'arrière, auprès d'un de ces petits canons qui tournent sur un pivot, et que l'on charge de mitraille[1]. De la main gauche, il dirigea la pièce,
565 et, de la droite, armé d'un sabre, il se défendit si bien qu'il attira autour de lui une foule de Noirs. Alors, pressant la détente du canon, il fit au milieu de cette masse serrée une large rue pavée de morts et de mourants. Un instant après il fut mis en pièces.

note

*1. **mitraille :** balles de fer mêlées de ferraille.*

L'Abolition de l'esclavage dans les colonies françaises (27 avril 1848), tableau d'Auguste François Biard (1849).

Au fil du texte

AVEZ-VOUS BIEN LU ?

1. Complétez les phrases suivantes :

a) Ayché implore la pardon de Tamango et celui-ci lui réclame ....

b) Pour haranguer les captifs, Tamango utilise le dialecte ....

c) Pour tester la vigilance des matelots, Tamango se saisit un jour d'un .... négligemment posé contre les plats-bords.

d) Les deux chefs s'affrontent sur un des passavants, c'est-à-dire un passage étroit qui communique du .... à ....

2. Qu'entendent les marins de garde, la nuit qui suit l'épisode précédent ?

3. Ayché intervient pour aider Tamango : que lui lance-t-elle ?

4. Vers quelle destination le bateau se dirige-t-il ?

ÉTUDIER LA GRAMMAIRE

5. Relevez quatre subordonnées relatives utilisant des pronoms relatifs différents, puis donnez la fonction grammaticale de ces pronoms après avoir précisé leur antécédent.

6. Relevez les verbes conjugués au subjonctif, puis donnez leur temps et les raisons de leur emploi.

7. Donnez trois valeurs du présent de l'indicatif utilisées dans ce passage. Illustrez-les par un exemple et expliquez l'intérêt du présent dans les passages narratifs.

ÉTUDIER L'ORTHOGRAPHE

8. Remplacez les verbes au présent de l'indicatif par des verbes au passé simple dans le passage qui va de « *Tout à coup Tamango* » (l. 519) jusqu'à « *les rames de la chaloupe* » (l. 529).

9. Expliquez l'accord du participe passé dans le passage suivant : « *il était loin de soupçonner le sens des courtes paroles qu'ils avaient échangées, et il ne fit aucune question à ce sujet* » (l. 427–430).

ÉTUDIER LE VOCABULAIRE

10. Relevez les différents adverbes en -*ment* présents dans ce passage et expliquez leur formation.

11. Relevez un adjectif contenant un préfixe★ négatif dans notre passage.

12. La *fourbe* est un nom commun usuel au XIXe siècle. Quel mot pourrait aujourd'hui être un synonyme★ et appartenir à la même famille★ ?

13. Qu'appelle-t-on « la polysémie » d'un mot ? Illustrez cette notion en prenant comme exemple le mot *soufflet* présent dans la phrase : « *Le capitaine la réprimanda vertement, lui donna même quelques soufflets* […] » (l. 425–426).

★ préfixe : partie du mot qui précède le radical.

★ synonymes : mots ayant des significations similaires ou très proches.

★ famille (de mots) : mots formés à partir d'un radical commun.

ÉTUDIER UN THÈME : LA RÉVOLTE

14. Quelles sont les différentes étapes de la révolte dans ce passage ? La chronologie de cette rébellion est-elle précise dans le texte ?

15. Qui est l'instigateur de cette révolte ? De quelles qualités fait-il preuve ?

16. Combien de marins étaient présents, selon vous, sur un bateau négrier transportant environ 180 esclaves ? Le narrateur* donne-t-il un nombre précis dans la nouvelle ?

17. Pourquoi Tamango ne montre-t-il pas la lime à ses compagnons ?

18. La réaction des Noirs est-elle violente ? Combien de matelots survivent ?

ÉTUDIER LE DISCOURS

19. Quels sont les mots et expressions utilisés pour qualifier le discours tenu par Tamango devant les captifs ? Ce relevé permet-il de souligner une qualité particulière de Tamango ?

20. Relevez les deux premières phrases au discours indirect* rapportant les propos de Tamango, puis transformez le passage en discours direct* et en discours indirect libre*.

21. Le narrateur intervient-il à la 1re personne dans ce passage ?

22. Y a-t-il, dans cette séquence, une intrusion du narrateur dans les pensées intimes de Ledoux ? Que peut-on en déduire ?

* **narrateur :** celui qui raconte l'histoire.

* **discours indirect :** discours qui rapporte les propos en les insérant dans le récit (« Il lui raconta que... »). Il peut être fidèle aux propos (supposés !) ou condenser ceux-ci.

* **discours direct :** discours censé citer fidèlement les propos tenus, il délimite ceux-ci à l'aide de guillemets.

* **discours indirect libre :** procédé intermédiaire entre le discours direct et le discours indirect, qui supprime les verbes introducteurs et la subordination, et cite les propos sans les guillemets (« Il m'a rassuré : il arrive »).

ÉCRITURE

23. Citez deux éléments, dans les premiers
paragraphes de cet extrait, qui montrent
la violence de Ledoux.

24. Quelles sont les expressions péjoratives utilisées
à propos des captifs ? Comment peut-on
les comprendre ?

25. À quels animaux Tamango est-il comparé ?
Pourquoi, selon vous ?

26. Relevez et expliquez une métaphore★ présente
dans le dernier paragraphe (l. 558-569).

*★ métaphore :
procédé qui
consiste à
établir un
rapprochement,
une analogie
entre deux
éléments
différents sans
utiliser d'outil
grammatical tel
que « comme »,
« semblable à »,
« pareil à »...*

LIRE L'IMAGE

27. Que représente le tableau reproduit à
la page 46 ? Quelles sont les diverses attitudes
des Noirs dans ce tableau ? Quels personnages
sont mis en valeur ?

28. Quels éléments mettent en évidence
la « générosité » de cette abolition et la « gratitude »
des esclaves ?

RECHERCHES ET EXPOSÉS

29. Préparez un exposé sur le navire *Amistad*, dont
les esclaves noirs prirent le contrôle en 1839.
Un film de Steven Spielberg, fort intéressant pour
le sujet qui nous occupe, relate cette aventure.

30. Faites un exposé sur Spartacus et sur Toussaint
Louverture.

31. Qu'appelle-t-on « le marronnage » ? Cherchez l'origine de ce mot et illustrez-le par des exemples précis.

À VOS PLUMES !

32. Racontez la scène de révolte en adoptant le point de vue d'Ayché.

33. Imaginez le discours tenu par Tamango aux révoltés, juste après leur assaut.

570   Lorsque le cadavre du dernier Blanc, déchiqueté et coupé par morceaux, eut été jeté à la mer, les Noirs, rassasiés de vengeance, levèrent les yeux vers les voiles du navire, qui, toujours enflées par un vent frais, semblaient obéir encore à leurs oppresseurs et mener les vainqueurs, malgré
575 leur triomphe, dans la terre de l'esclavage. « Rien n'est donc fait, pensèrent-ils avec tristesse ; et ce grand fétiche[1] des Blancs voudra-t-il nous ramener dans notre pays, nous qui avons versé le sang de ses maîtres ? » Quelques-uns dirent que Tamango saurait le faire obéir. Aussitôt on appelle
580 Tamango à grands cris.

    Il ne se pressait pas de se montrer. On le trouva dans la chambre de poupe[2], debout, une main appuyée sur le sabre sanglant du capitaine ; l'autre, il la tendait d'un air distrait à sa femme Ayché, qui la baisait à genoux devant lui.
585 La joie d'avoir vaincu ne diminuait pas une sombre inquiétude qui se trahissait dans toute sa contenance. Moins grossier que les autres, il sentait mieux la difficulté de sa position.

    Il parut enfin sur le tillac, affectant un calme qu'il n'éprouvait pas. Pressé par cent voix confuses de diriger la course
590 du vaisseau, il s'approcha du gouvernail à pas lents, comme pour retarder un peu le moment qui allait, pour lui-même et pour les autres, décider de l'étendue de son pouvoir.

    Dans tout le vaisseau, il n'y avait pas un Noir, si stupide qu'il fût, qui n'eût remarqué l'influence qu'une certaine
595 roue et la boîte placée en face exerçaient sur les mouvements du navire ; mais dans ce mécanisme il y avait toujours pour eux un grand mystère. Tamango examina la boussole

notes

1. fétiche : objet auquel on attribue un pouvoir magique.

2. de poupe : à l'arrière du navire.

pendant longtemps en remuant les lèvres, comme s'il lisait les caractères qu'il y voyait tracés ; puis il portait la main à son front, et prenait l'attitude pensive d'un homme qui fait un calcul de tête. Tous les Noirs l'entouraient, la bouche béante, les yeux démesurément ouverts, suivant avec anxiété le moindre de ses gestes. Enfin, avec ce mélange de crainte et de confiance que l'ignorance donne, il imprima un violent mouvement à la roue du gouvernail.

Comme un généreux coursier[1] qui se cabre sous l'éperon d'un cavalier imprudent, le beau brick *L'Espérance* bondit sur la vague à cette manœuvre inouïe. On eût dit qu'indigné il voulait s'engloutir avec son pilote ignorant. Le rapport nécessaire entre la direction des voiles et celle du gouvernail étant brusquement rompu, le vaisseau s'inclina avec tant de violence qu'on eût dit qu'il allait s'abîmer[2]. Ses longues vergues[3] plongèrent dans la mer. Plusieurs hommes furent renversés ; quelques-uns tombèrent par-dessus le bord. Bientôt le vaisseau se releva fièrement contre la lame[4], comme pour lutter encore une fois avec la destruction. Le vent redoubla d'efforts, et tout d'un coup, avec un bruit horrible, tombèrent les deux mâts, cassés à quelques pieds du pont, couvrant le tillac de débris et comme d'un lourd filet de cordages.

Les Nègres épouvantés fuyaient sous les écoutilles en poussant des cris de terreur ; mais, comme le vent ne trouvait plus de prise, le vaisseau se releva et se laissa doucement ballotter par les flots. Alors les plus hardis des

600

605

610

615

620

notes

1. **coursier :** ici, cheval (de bataille).
2. **s'abîmer :** être englouti par les flots.

3. **vergues :** pièces en bois disposées en croix sur l'avant des mâts et servant à porter la voile qui y est fixée.

4. **lame :** vague puissante.

625 Noirs remontèrent sur le tillac et le débarrassèrent des débris qui l'obstruaient. Tamango restait immobile, le coude appuyé sur l'habitacle et se cachant le visage sur son bras replié. Ayché était auprès de lui, mais n'osait lui adresser la parole. Peu à peu les Noirs s'approchèrent ; un murmure
630 s'éleva, qui bientôt se changea en un orage de reproches et d'injures. « Perfide[1] ! imposteur ! s'écriaient-ils, c'est toi qui as causé tous nos maux, c'est toi qui nous as vendus aux Blancs, c'est toi qui nous as contraints de nous révolter contre eux. Tu nous avais vanté ton savoir, tu nous avais
635 promis de nous ramener dans notre pays. Nous t'avons cru, insensés que nous étions ! et voilà que nous avons manqué de périr tous parce que tu as offensé le fétiche des Blancs. »

Tamango releva fièrement la tête, et les Noirs qui l'entouraient reculèrent intimidés. Il ramassa deux fusils, fit signe
640 à sa femme de le suivre, traversa la foule, qui s'ouvrit devant lui, et se dirigea vers l'avant du vaisseau. Là il se fit comme un rempart avec des tonneaux vides et des planches ; puis il s'assit au milieu de cette espèce de retranchement, d'où sortaient menaçantes les baïonnettes de ses deux fusils.
645 On le laissa tranquille. Parmi les révoltés, les uns pleuraient ; d'autres, levant les mains au ciel, invoquaient[2] leurs fétiches et ceux des Blancs ; ceux-ci, à genoux devant la boussole, dont ils admiraient le mouvement continuel, la suppliaient de les ramener dans leur pays ; ceux-là se couchaient sur
650 le tillac dans un morne[3] abattement. Au milieu de ces désespérés, qu'on se représente des femmes et des enfants hurlant d'effroi, et une vingtaine de blessés implorant des secours que personne ne pensait à leur donner.

notes

1. perfide : traître.   *2. invoquaient :* priaient.   *3. morne :* triste.

Tout à coup un Nègre paraît sur le tillac : son visage est
655 radieux. Il annonce qu'il vient de découvrir l'endroit où les
Blancs gardent leur eau-de-vie ; sa joie et sa contenance
prouvent assez qu'il vient d'en faire l'essai. Cette nouvelle
suspend un instant les cris de ces malheureux. Ils courent
à la cambuse[1] et se gorgent de liqueur. Une heure après,
660 on les eût vus sauter et rire sur le pont, se livrant à toutes les
extravagances de l'ivresse la plus brutale. Leurs danses et
leurs chants étaient accompagnés des gémissements et des
sanglots des blessés. Ainsi se passa le reste du jour et toute
la nuit.

665   Le matin, au réveil, nouveau désespoir. Pendant la nuit,
un grand nombre de blessés étaient morts. Le vaisseau
flottait entouré de cadavres. La mer était grosse et le ciel
brumeux. On tint conseil. Quelques apprentis dans l'art
magique, qui n'avaient point osé parler de leur savoir-faire
670 devant Tamango, offrirent tour à tour leurs services.
On essaya plusieurs conjurations puissantes. À chaque tentative inutile, le découragement augmentait. Enfin on reparla
de Tamango, qui n'était pas encore sorti de son retranchement. Après tout, c'était le plus savant d'entre eux, et lui
675 seul pouvait les tirer de la situation horrible où il les avait
placés. Un vieillard s'approcha de lui, porteur de propositions de paix. Il le pria de venir donner son avis ; mais
Tamango, inflexible comme Coriolan[2], fut sourd à ses
prières. La nuit, au milieu du désordre, il avait fait sa

notes

1. **cambuse :** magasin
à bord d'un navire où sont
conservés et distribués les
vivres, les provisions.

2. **Coriolan :** général romain
du ve siècle av. J.-C. rejeté par
le peuple. Il dut s'exiler chez
les Volsques qu'il poussa
à combattre les Romains.
Quand ceux-ci le supplièrent

de cesser les combats, seules
les larmes de sa femme
le firent fléchir.
Le personnage a inspiré
une tragédie à Shakespeare
(*Coriolan*, 1607).

680 provision de biscuits et de chair salée. Il paraissait déterminé à vivre seul dans sa retraite.

L'eau-de-vie restait. Au moins elle fait oublier et la mer, et l'esclavage, et la mort prochaine. On dort, on rêve de l'Afrique, on voit des forêts de gommiers[1], des cases
685 couvertes en paille, des baobabs dont l'ombre couvre tout un village. L'orgie de la veille recommença. De la sorte se passèrent plusieurs jours. Crier, pleurer, s'arracher les cheveux, puis s'enivrer et dormir, telle était leur vie. Plusieurs moururent à force de boire ; quelques-uns se
690 jetèrent à la mer, ou se poignardèrent.

Un matin Tamango sortit de son fort et s'avança jusqu'auprès du tronçon du grand mât. « Esclaves, dit-il, l'Esprit m'est apparu en songe et m'a révélé les moyens de vous tirer d'ici pour vous ramener dans votre pays. Votre
695 ingratitude mériterait que je vous abandonnasse ; mais j'ai pitié de ces femmes et de ces enfants qui crient. Je vous pardonne : écoutez-moi. » Tous les Noirs baissèrent la tête avec respect et se serrèrent autour de lui.

« Les Blancs, poursuivit Tamango, connaissent seuls les
700 paroles puissantes qui font remuer ces grandes maisons de bois ; mais nous pouvons diriger à notre gré ces barques légères qui ressemblent à celles de notre pays. » Il montrait la chaloupe et les autres embarcations du brick. « Remplissons-les de vivres, montons dedans, et ramons dans la direc-
705 tion du vent ; mon maître et le vôtre le fera souffler vers notre pays. » On le crut. Jamais projet ne fut plus insensé. Ignorant l'usage de la boussole, et sous un ciel inconnu, il ne pouvait qu'errer à l'aventure. D'après ses idées,

note

1. **gommiers :** acacias des pays chauds fournissant de la gomme.

56

il s'imaginait qu'en ramant tout droit devant lui il trouverait
à la fin quelque terre habitée par les Noirs, car les Noirs
possèdent la terre, et les Blancs vivent sur leurs vaisseaux.
C'est ce qu'il avait entendu dire à sa mère.

Tout fut bientôt prêt pour l'embarquement, mais
la chaloupe avec un canot seulement se trouva en état
de servir. C'était trop peu pour contenir environ quatre-
vingts Nègres encore vivants. Il fallut abandonner tous les
blessés et les malades. La plupart demandèrent qu'on les tuât
avant de se séparer d'eux.

Les deux embarcations, mises à flot avec des peines infinies
et chargées outre mesure, quittèrent le vaisseau par une mer
clapoteuse[1], qui menaçait à chaque instant de les engloutir.
Le canot s'éloigna le premier. Tamango avec Ayché avait
pris place dans la chaloupe qui, beaucoup plus lourde et plus
chargée, demeurait considérablement en arrière. On enten-
dait encore les cris plaintifs de quelques malheureux aban-
donnés à bord du brick, quand une vague assez forte prit
la chaloupe en travers et l'emplit d'eau. En moins d'une
minute, elle coula. Le canot vit leur désastre, et ses rameurs
doublèrent d'efforts, de peur d'avoir à recueillir quelques
naufragés. Presque tous ceux qui montaient la chaloupe
furent noyés. Une douzaine seulement put regagner le vaisseau. De ce nombre étaient Tamango et Ayché. Quand
le soleil se coucha, ils virent disparaître le canot derrière
l'horizon ; mais ce qu'il devint, on l'ignore.

Pourquoi fatiguerais-je le lecteur par la description dégoû-
tante des tortures de la faim ? Vingt personnes environ sur

note

1. clapoteuse : légèrement
agitée.

un espace étroit, tantôt ballottées par une mer orageuse, tantôt brûlées par un soleil ardent, se disputent tous les jours les faibles restes de leurs provisions. Chaque morceau de biscuit coûte un combat, et le faible meurt, non parce que le fort le tue, mais parce qu'il le laisse mourir. Au bout de quelques jours, il ne resta plus de vivant à bord du brick *L'Espérance* que Tamango et Ayché.

....

Une nuit, la mer était agitée, le vent soufflait avec violence, et l'obscurité était si grande que de la poupe on ne pouvait voir la proue[1] du navire. Ayché était couchée sur un matelas dans la chambre du capitaine, et Tamango était assis à ses pieds. Tous les deux gardaient le silence depuis longtemps. « Tamango, s'écria enfin Ayché, tout ce que tu souffres, tu le souffres à cause de moi... – Je ne souffre pas », répondit-il brusquement, et il jeta sur le matelas, à côté de sa femme, la moitié d'un biscuit qui lui restait. « Garde-le pour toi, dit-elle, en repoussant douce-ment le biscuit ; je n'ai plus faim. D'ailleurs, pourquoi manger ? Mon heure n'est-elle pas venue ? » Tamango se leva sans répondre, monta en chancelant sur le tillac et s'assit au pied d'un mât rompu. La tête penchée sur sa poitrine, il sifflait l'air de sa famille. Tout à coup un grand cri se fit entendre au-dessus du bruit du vent et de la mer ; une lumière parut. Il entendit d'autres cris, et un gros vaisseau noir glissa rapidement auprès du sien, si près que les vergues passèrent au-dessus de sa tête. Il ne vit que deux figures éclairées par une lanterne suspendue à un mât. Ces gens poussèrent encore un cri, et aussitôt leur navire,

note
1. *proue* : avant du bateau.

765 emporté par le vent, disparut dans l'obscurité. Sans doute les hommes de garde avaient aperçu le vaisseau naufragé ; mais le gros temps les empêchait de virer de bord[1]. Un instant après, Tamango vit la flamme d'un canon et entendit le bruit de l'explosion ; puis il vit la flamme d'un autre

770 canon, mais il n'entendit aucun bruit ; puis il ne vit plus rien. Le lendemain, pas une voile ne paraissait à l'horizon. Tamango se recoucha sur son matelas et ferma les yeux. Sa femme Ayché était morte cette nuit-là.

....

Je ne sais combien de temps après, une frégate anglaise, *La*

775 *Bellone*, aperçut un bâtiment démâté[2] et en apparence abandonné de son équipage. Une chaloupe, l'ayant abordé, y trouva une Négresse morte et un Nègre si décharné[3] et si maigre qu'il ressemblait à une momie. Il était sans connaissance, mais avait encore un souffle de vie. Le chirur-

780 gien s'en empara, lui donna des soins, et quand *La Bellone* aborda à Kingston[4], Tamango était en parfaite santé. On lui demanda son histoire. Il dit ce qu'il en savait. Les planteurs[5] de l'île voulaient qu'on le pendît comme un Nègre rebelle ; mais le gouverneur, qui était un homme humain, s'intéressa

785 à lui, trouvant son cas justifiable, puisque après tout il n'avait fait qu'user du droit légitime de défense ; et puis ceux qu'il avait tués n'étaient que des Français. On le traita comme on traite les Nègres pris à bord d'un vaisseau négrier que l'on confisque. On lui donna la liberté, c'est-à-dire qu'on

790 le fit travailler pour le gouvernement ; mais il avait six sous par jour et la nourriture. C'était un fort bel homme.

notes

1. **virer de bord :** changer de direction.
2. **démâté :** sans mâts.
3. **décharné :** squelettique.
4. **Kingston :** port et capitale de la Jamaïque.
5. **planteurs :** propriétaires d'exploitations agricoles.

Le colonel du 75ᵉ le vit et le prit pour en faire un cymbalier[1] dans la musique de son régiment. Il apprit un peu d'anglais ; mais il ne parlait guère. En revanche, il buvait avec excès du rhum et du tafia[2]. – Il mourut à l'hôpital d'une inflammation de poitrine.

795

1829.

notes

1. cymbalier : musicien qui joue des cymbales.

2. tafia : eau-de-vie tirée des mélasses de canne à sucre (la plupart des eaux-de-vie vendues sous le nom de « rhum » étant des tafias).

Au fil du texte

AVEZ-VOUS BIEN LU ?

1. Complétez les phrases suivantes :

a) Les révoltés cherchent Tamango et le trouvent dans la chambre ……………………………… .

b) Avant de se saisir du timon, Tamango observe assez longuement un instrument de navigation :
……………………………… .

c) Épouvantés par la rupture des mâts et les mouvements incontrôlables du bateau, les Noirs fuient sous les ……………………………… .

d) Tamango est recueilli par *La Bellone*, une frégate d'origine ……………………………… .

2. Que font les révoltés avec le cadavre du dernier Blanc ?

3. Qui demeure auprès de Tamango dans la tourmente ?

4. Après avoir entendu les reproches des naufragés, que fait Tamango ?

5. Qu'advient-il de la chaloupe et du canot qui se détachent du navire avec des naufragés à leur bord ?

ÉTUDIER LA GRAMMAIRE

6. Différents procédés syntaxiques peuvent être utilisés pour exprimer l'opposition. Relevez trois phrases qui illustreront cette relation logique avec une juxtaposition, une coordination et une subordination.

7. Relevez deux subordonnées conjonctives de cause et transformez les phrases de façon à utiliser des subordonnées de conséquence.

8. Relevez cinq pronoms indéfinis présents dans ces pages. Comment sont-ils utilisés ?

ÉTUDIER LE VOCABULAIRE

9. Mérimée emploie-t-il toujours le mot « *Nègres* » pour désigner les Africains ? Où le trouve-t-on dans notre passage ? Quelle est l'étymologie* de ce mot ? Ce mot a-t-il une valeur péjorative en français ? et en anglais ?

* étymologie :
origine d'un
mot.

* champ lexical :
ensemble
de mots qui,
dans un texte
donné,
se rapportent
à un même
thème.

10. Relevez quatre mots appartenant au champ lexical* de la peur.

11. Qu'est-ce qu'une énumération ? Donnez un exemple d'énumération utilisant des verbes à l'infinitif.

12. Quelle est l'étymologie du verbe *errer* ? Citez un nom formé sur le même radical.

ÉTUDIER UN THÈME : LE NAUFRAGE

13. Pourquoi les rebelles font-ils appel à Tamango pour diriger le navire ? A-t-il davantage de compétences que ses comparses ?

14. Deux forces s'opposent dans la description du navire qui chavire : un mouvement d'émergence et de vie, un mouvement d'immersion et de mort. Montrez-le en faisant un relevé précis des mots qui appartiennent à chacun des deux registres dans ce passage.

15. Quels sont les reproches faits à Tamango par les esclaves ? Comment sont-ils présentés et formulés ?

16. Comment la progression de la mort est-elle marquée dans ces pages ? Quelles sont les différentes causes de mortalité mentionnées ?

17. Pourquoi Tamango, citant sa mère, pense-t-il que « *les Noirs possèdent la terre, et les Blancs vivent sur leurs vaisseaux* » (l. 710-711) ?

18. Pour quelles raisons Tamango n'est-il pas pendu à la fin de la nouvelle ?

ÉTUDIER LE DISCOURS

19. Quel est le point de vue adopté par le narrateur★ dans le paragraphe où Tamango imprime un violent mouvement à la roue du gouvernail (l. 593-605) ?

* narrateur : celui qui raconte l'histoire.

20. À quels moments particuliers Mérimée utilise-t-il le présent de l'indicatif ? Pour quelle raison ?

21. Notez une intervention directe du narrateur et expliquez-la.

ÉTUDIER UN GENRE : LA NOUVELLE

22. Quels éléments permettent de distinguer une nouvelle comme *Tamango* d'un roman ?

23. Un roman sur le même sujet vous semble-t-il envisageable ?

24. Que montre, selon vous, la fin de cette nouvelle : le triomphe d'un Tamango affranchi ? le destin pathétique d'un révolté qui croyait à la liberté et qui a partiellement échoué ? Que peut symboliser son itinéraire ?

25. La nouvelle *Tamango* fut publiée en 1829. Cette précision est-elle importante pour la lecture de ce texte ?

ÉCRITURE

* *métaphore :
procédé qui
consiste à
établir un
rapprochement,
une analogie
entre deux
éléments
différents sans
utiliser d'outil
grammatical tel
que « comme »,
« semblable à »,
« pareil à »...*

*personnifi-
cation : procédé
qui consiste à
attribuer des
traits humains
ou animaliers
à un objet
inanimé.*

26. Qu'est-ce qu'une antithèse ? Montrez l'importance de cette figure dans ces pages en donnant deux exemples que vous expliquerez.

27. Quelle est la métaphore* utilisée pour décrire le navire qui chancelle ? Peut-on parler de « personnification* » dans ce passage ?

28. Qu'est-ce qu'une assonance ? Qu'est-ce qu'une allitération ? Relevez, dans la phrase suivante, les assonances et les allitérations : « *Comme un généreux coursier qui se cabre sous l'éperon du cavalier imprudent, le beau brick* L'Espérance *bondit sur la vague à cette manœuvre inouïe* » (l. 606-608). Que soulignent ces procédés stylistiques ? Vous ferez la même analyse avec la phrase qui achève ce paragraphe.

29. Que signifient les lignes en pointillé qui isolent le passage racontant la mort d'Ayché ? En quoi peut-on dire que cette scène est « dramatique » ?

À VOS PLUMES !

30. Réécrivez, sous forme de dialogue théâtral, les échanges entre Tamango et le vieillard envoyé pour le convaincre d'agir (l. 672-679).

31. Rédigez une quinzaine de lignes dans lesquelles vous donnerez votre point de vue personnel sur cette nouvelle.

RECHERCHES ET EXPOSÉS

32. Faites un exposé sur le peintre anglais William Turner après avoir recherché deux exemples, dans sa peinture, qui peuvent être mis en relation avec notre nouvelle.

33. Recherchez deux autres peintres qui ont représenté des scènes de naufrages et présentez leurs tableaux à la classe, en montrant leur originalité.

34. Recherchez sur Internet trois sites évoquant la « traite négrière » et présentez celui qui vous paraît le plus intéressant. Justifiez votre point de vue.

35. Présentez le roman de Victor Hugo intitulé *Bug-Jargal* (résumé de l'intrigue, personnages principaux, narrateur, etc.).

LIRE L'IMAGE

36. Quel passage de *Tamango* pourrait être rapproché du tableau *Le Radeau de la Méduse* de Théodore Géricault reproduit à la page 60 ? Pourquoi ? Cherchez des informations sur ce tableau et dites en quoi il fut novateur et scandaleux en 1819 ?

Retour sur l'œuvre

1. Précisez quels personnages ou objet sont représentés par les pronoms personnels soulignés dans les extraits suivants :

a) « "Arrivés aux colonies, disait Ledoux, ils ne resteront que trop sur leurs pieds !" » (l. 44-45).

b) « Il mouilla dans la rivière de Joale (je crois) [...] » (l. 74-75).

c) « Cependant, tout en critiquant, il faisait un premier choix des Noirs les plus robustes et les plus beaux » (l. 142-143).

d) « Il donna une tabatière de carton à Tamango, et lui demanda les six esclaves restants » (l. 207-209).

e) « Telle était la crainte qu'il leur inspirait encore, que pas un seul n'osa insulter à la misère de celui qui avait causé la leur » (l. 296-298).

f) « Tamango tourna la tête, l'aperçut, poussa un cri [...] » (l. 340-341).

g) « Ils pensaient à l'eau-de-vie et aux femmes de couleur de la Martinique, lorsqu'on fit monter sur le pont Tamango et les autres conjurés » (l. 502-505).

h) « Il s'était retiré à l'arrière, auprès d'un de ces petits canons qui tournent sur un pivot, et que l'on charge de mitraille » (l. 562-564).

2. Donnez la nature des dix subordonnées soulignées dans les extraits suivants :

a) « Les planteurs de l'île voulaient qu'on le pendît comme un Nègre rebelle [...]. »

b) « [...] le gouverneur, qui était un homme humain, s'intéressa à lui, trouvant son cas justifiable, puisque après tout il n'avait fait qu'user du droit de légitime défense [...]. »

c) « *Une nuit, la mer était agitée, le vent soufflait avec violence, et l'obscurité était si grande que de la poupe on ne pouvait voir la proue du navire.* »

d) « [...] *lui seul pouvait les tirer d'une situation horrible où il les avait placés.* »

e) « *Quand le soleil se coucha, ils virent disparaître le canot derrière l'horizon* [...]. »

f) « *Il fallut que deux matelots le portassent comme un paquet dans l'entrepont* [...]. »

g) « *Afin que sa cargaison humaine souffrît le moins possible des fatigues de la traversée, il avait l'attention de faire monter tous les jours ses esclaves sur le pont.* »

h) « [...] *d'un petit bois bien touffu et bien sombre on entend une musique étrange, sans que l'on vît personne pour la faire ; tous les musiciens étaient cachés dans le bois.* »

i) « [...] *dites-nous si vous avez été sages* [...]. »

3. Dix questions sur la traite négrière dans *Tamango...*

a) Quel trajet Ledoux compte-t-il effectuer avec le navire *L'Espérance* ?

b) Dans quelle partie du navire les esclaves noirs sont-ils maintenus ?

c) À quelle époque la traite négrière fut-elle interdite par la France ?

d) Pour quelle raison principale Ledoux fait-il construire un bateau fin et rapide ?

e) Quels objets Ledoux fait-il soigneusement vernir pour les préserver de la rouille ?

f) Où s'effectue le premier contact entre les négriers et les courtiers chargés de la vente des esclaves ?

g) Qu'offre Ledoux à Tamango avant de commencer les négociations ?

h) Quels sont les produits échangés contre les 160 esclaves ?

i) Par qui et où ces esclaves ont-ils été capturés ?

j) Que fait Ledoux pour maintenir sa « *cargaison* » en « *bonne santé* » ?

4. Vocabulaire maritime : rendez à chaque mot sa définition…

1) lougre   5) mousse   9) écoutilles
2) cabotage   6) brick   10) tillac
3) croiseur   7) timonier   11) cambuse
4) armateur   8) cabestan   12) écubier

a) Treuil à arbre vertical sur lequel peut s'enrouler un câble et qui sert à tirer de lourdes charges.

b) Jeune garçon de moins de 16 ans qui fait, sur un navire, l'apprentissage du métier de marin.

c) Voilier à deux mâts pour le cabotage et la surveillance des côtes.

d) Bâtiment de guerre qui sillonne dans une zone maritime limitée.

e) Voilier à deux mâts avec des voiles carrées.

f) Pont supérieur du navire.

g) Ouvertures rectangulaires pratiquées dans le pont d'un navire et qui permettent l'accès au pont.

h) Marin qui tient la barre du gouvernail.

i) Navigation à distance limitée des côtes.

j) Personne qui utilise et possède un navire pour le commerce.

k) Ouverture ménagée à l'avant d'un navire pour le passage des câbles ou des chaînes.

l) Magasin du bord où sont conservés et distribués les vivres, les provisions.

1) ......   2) ......   3) ......   4) ......   5) ......   6) ......
7) ......   8) ......   9) ......   10) ......   11) ......   12) ......

5. Donnez le (ou les) nom(s) correspondant aux adjectifs suivants :

a) impétueux ....

b) nonchalant ....

c) simple ....

d) petite ....

e) pacifique ....

f) profonde ....

g) fin ....

h) étroit ....

i) parallèle ....

j) vide ....

k) large ....

l) superstitieux ....

m) énorme ....

n) vrai ....

o) calme ....

6. Vrai ou faux ?

a) L'*Espérance* quitte Nantes un vendredi.   V ☐ F ☐

b) Le navire quitte la France avec deux grandes caisses remplies de chaînes, de menottes et de *barres de justice*.   V ☐ F ☐

c) Ledoux parle la langue wolofe.   V ☐ F ☐

d) Pour officialiser la vente des esclaves,
Ledoux signe un traité avec Tamango.   V ☐ F ☐

e) Après la première vente, une trentaine
d'esclaves n'ont pas été vendus.   V ☐ F ☐

f) Tamango tue une femme en utilisant
son sabre.   V ☐ F ☐

g) Ledoux rachète les six derniers esclaves
et les libère.   V ☐ F ☐

h) Ledoux repart le lendemain de
la négociation.   V ☐ F ☐

i) Devant la douleur de Tamango qui l'a
rejoint sur son navire, Ledoux se laisse
attendrir.   V ☐ F ☐

j) Pendant la nuit précédente, trois esclaves
sont morts.   V ☐ F ☐

k) Ledoux et son lieutenant se jettent
sur Tamango pour le capturer.   V ☐ F ☐

l) Tamango est blessé à la tête.   V ☐ F ☐

m) Ledoux, témoin impuissant d'un échange
entre Tamango et Ayché, soufflette
le guerrier africain.   V ☐ F ☐

n) Juste avant la révolte, les Noirs
se mettent à danser sur le pont.   V ☐ F ☐

o) Tamango tue l'officier de quart.   V ☐ F ☐

p) Le capitaine Ledoux est, parmi les marins
blancs, le dernier à mourir.   V ☐ F ☐

q) Gagnés par le désespoir, certains esclaves
se suicident en se poignardant ou en
se jetant dans la mer.   V ☐ F ☐

r) Les planteurs de la Jamaïque prennent
la défense de Tamango.   V ☐ F ☐

Dossier
d'accompagnement

Schéma narratif

Introduction de la nouvelle
(p. 7, l. 1, à p. 10, l. 69)
a) La brillante carrière maritime de Ledoux.
b) Ledoux, le « négrier » : préparatifs d'une expédition.

L'achat d'esclaves en Afrique
(p. 16, l. 70, à p. 22, l. 218)
a) Voyage jusqu'au Sénégal et premiers contacts.
b) Présentation de Tamango.
c) La « coutume ».
d) Présentation des esclaves africains.
e) Réflexions « commerciales » de Ledoux.
f) La négociation pour l'achat du lot principal.
g) Le « rebut » : cruauté des négociateurs...
h) Le départ de Ledoux.

La capture de Tamango
(p. 26, l. 219, à p. 34, l. 407)
a) Le réveil de Tamango et sa course jusqu'au navire négrier.
b) Tamango suppliant Ledoux.
c) La capture de Tamango.
d) Le dépit du chef africain.
e) Satisfaction, calculs et « attentions » de Ledoux.
f) Colère et menaces de Tamango.
g) Explications sur « Mama-Jumbo ».
h) Réflexions de Ledoux sur les coutumes africaines et sa pratique personnelle...
i) Colère de Ledoux.

La révolte des captifs
(p. 39, l. 408, à p. 45, l. 569)

a) Cris et chants nocturnes.

b) La culpabilité d'Ayché.

c) La lime.

d) Tamango pousse ses compagnons à la révolte.

e) Ayché fournit la lime.

f) La ruse de Tamango.

g) Le plan des conjurés.

h) Insouciance de Ledoux et de l'équipage.

i) Les captifs préparent l'assaut.

j) La révolte.

k) L'élimination de l'équipage et la victoire des révoltés.

Le naufrage
(p. 52, l. 570, à p. 60, l. 796)

a) Inquiétudes après la vengeance.

b) Tamango à la manœuvre.

c) Le naufrage.

d) Reproches à Tamango et retrait du chef.

e) Ivresse et désespoir des captifs.

f) L'initiative « insensée » de Tamango.

g) Naufrage de la chaloupe et disparition du canot.

h) Famine et disparition des compagnons de Tamango et Ayché.

i) La mort d'Ayché.

j) Sauvetage et destinée de Tamango.

Il était une fois Prosper Mérimée

L'ENFANCE PARISIENNE D'UN ESTHÈTE

Prosper Mérimée naît le 28 septembre 1803, à Paris.
Son père est un peintre, grand connaisseur d'art
antique et flamand, qui enseigne le dessin à l'École
polytechnique et qui deviendra secrétaire perpétuel
de l'Académie des beaux-arts en 1807. Sa mère,
petite-fille de Jeanne-Marie Leprince de Beaumont
(auteur de nombreux contes comme *La Belle et la Bête*),
est aussi une artiste peintre, auprès de qui Mérimée,
célibataire endurci, vivra quasiment jusqu'au décès
de celle-ci en 1852. Il grandit donc dans un milieu
d'intellectuels qui l'initient aux Beaux-Arts, à la lecture
et qui fréquentent des artistes en vue. Un milieu
cosmopolite, anglophile et libéral, où l'on se dit
volontiers voltairien et sceptique : Prosper ne sera
jamais baptisé. Très tôt, il se familiarise avec la langue
anglaise, entend parler de voyages, d'expositions,
d'esthétique.

Après des études brillantes au lycée Napoléon
(actuel lycée Henri-IV), Prosper, en digne petit-fils
d'un éminent avocat, entame des études de droit
qu'il terminera en 1823 avec la licence. Mais ses goûts
et ses ambitions le portent plutôt vers la littérature,
la peinture, la philosophie et les langues (il maîtrise
le latin et l'anglais puis étudie le grec et l'espagnol).
Il rêve de devenir écrivain.

Dates clés

1803 : naissance
de Mérimée.
1822 : il se lie
d'amitié avec
Stendhal.

UNE JEUNESSE MONDAINE

Familier des élites parisiennes grâce à sa famille
et à ses amis de lycée, Prosper fait ses premiers pas
dans les cercles mondains dès les années 1820. Chez
le baron Gérard ou le peintre Jules-Robert Auguste,
il fait la connaissance de l'avant-garde romantique,
côtoyant Delacroix, Musset et Hugo. En 1822,
il rencontre Stendhal (avec lequel il liera une amitié
durable) chez Viollet-le-Duc (le père de l'architecte),
puis il participe, en 1825, aux soirées mouvementées
organisées par Étienne Delécluze, sensible aux idées
romantiques naissantes. Épicurien et anticlérical,
Prosper Mérimée fréquente les salons littéraires
les plus libéraux comme celui de Mme Récamier,
ceux où l'on critique volontiers Louis XVIII (puis
Charles X) et la « restauration » de la monarchie.
Grâce à son ami Alfred Stapfer, il accède au salon
de son père, le pasteur Abel Stapfer, qui accueille
les savants les plus connus, des artistes et de grands
voyageurs. Cet intellectuel brillant et libéral est l'un
des fondateurs, en 1821, de la Société de la morale
chrétienne qui combat activement la traite des Noirs
et l'esclavage. Chez Stapfer père, Mérimée put croiser
le baron de Staël ou Miss Wright, deux fervents
abolitionnistes qui militaient alors pour supprimer
définitivement la traite des Noirs et dénoncer les
horreurs de l'esclavage. Il put aussi rencontrer Charles
de Rémusat, auteur d'un drame intitulé *L'Insurrection
de Saint-Domingue* (1824), et des délégués anglais
représentant le dynamique mouvement abolitionniste
britannique, autant de militants anti-esclavagistes qui

auront pu informer précisément l'auteur de *Tamango* sur les conditions réelles de la traite négrière...

Des débuts littéraires prometteurs

De 1823 à 1831, date de son entrée dans la fonction publique, Mérimée n'a qu'une seule activité professionnelle : l'écriture... Sans doute influencé par Stendhal (qui publie en 1823 son *Racine et Shakespeare*) et les idées romantiques qui dénoncent l'usure des formules théâtrales classiques, Mérimée écrit d'abord des pièces de théâtre qu'il lit à ses amis chez Delécluze, dès 1825. Ces premières pièces seront regroupées et publiées la même année dans un recueil intitulé *Le Théâtre de Clara Gazul*. Le goût du jeu et de la mystification se manifeste habilement : Mérimée attribue ses œuvres à une comédienne espagnole, Clara Gazul ; l'édition est accompagnée d'une préface d'un supposé traducteur (nommé Joseph L'Estrange) qui présente la comédienne ! Pour couronner l'ensemble, Delécluze fait le portrait de cette Clara en reprenant le visage de Mérimée. Beaucoup se laisseront piéger : la supercherie mais aussi l'esthétique résolument romantique lui vaudront quelque notoriété.

En 1827, Prosper Mérimée présente un recueil de poésies intitulé *Guzla* (anagramme de *Gazul* !). Ces 25 poèmes sont attribués cette fois-ci à un barde illyrien (de la région des Balkans) nommé Hyacinthe Maglanovitch, et l'édition est bien sûr accompagnée d'une notice biographique sur l'auteur signée par un prétendu spécialiste italien. Déjà se profile à travers ces deux textes le goût pour l'exotisme,

Date clé

1825 : publication du *Théâtre de Clara Gazul*.

l'étrange et l'insolite qui parcourront aussi nombre de ses œuvres narratives.

Mérimée publie en 1829 un roman historique anticlérical, *Chronique du règne de Charles IX*, situé pendant les guerres de Religion du XVIe siècle. De 1829 à 1834, une période très féconde dans la carrière du jeune auteur s'ouvre alors quand il décide, tout en poursuivant son travail de dramaturge, d'écrire des nouvelles. En quelques années, il publie dans la *Revue de Paris* des récits brefs comme *Mateo Falcone*, *Tamango*, *L'Enlèvement de la redoute*, *Vision de Charles XI*, *Le Vase étrusque*. Ces nouvelles seront rassemblées (avec d'autres textes) dans le recueil *Mosaïque* en 1833 et consacreront définitivement le talent du jeune Mérimée aux yeux de ses contemporains.

LE HAUT FONCTIONNAIRE

Mérimée s'aperçoit vite qu'il ne pourra pas vivre uniquement de sa plume. Or le jeune homme, ambitieux, aspire à l'aisance et à une dignité sociale. En 1830, la monarchie de Juillet chasse Charles X du pouvoir et le nouveau régime, dirigé par Louis-Philippe, va enfin correspondre à ses aspirations libérales. Mérimée et bon nombre de ses amis, rétifs comme lui à la Restauration, bénéficient alors de postes importants dans la nouvelle administration. Grâce à ses amitiés et aux relations nouées dans les salons, Mérimée est nommé, en février 1831, chef de bureau du secrétariat général de la Marine. Un mois plus tard, il est le chef de cabinet du comte d'Argout, quand celui-ci devient ministre du Commerce et des Travaux publics. En décembre

Dates clés

1830 : monarchie de Juillet.

1831 : Mérimée accède à des fonctions publiques.

1832 : il est nommé à la direction des Beaux-Arts.

1833 : publication de ses nouvelles dans le recueil *Mosaïque*.

de la même année, Mérimée suivra le comte d'Argout au ministère de l'Intérieur. Il est ensuite nommé à la direction des Beaux-Arts en octobre 1832, puis maître des requêtes auprès du Conseil d'État le mois suivant. Le travail de fonctionnaire prend alors le pas sur les activités d'écrivain, mais Mérimée est devenu un personnage important dans le microcosme politique parisien.

L'INSPECTEUR GÉNÉRAL DES MONUMENTS HISTORIQUES

• Une double mission

Date clé

1834 : il devient inspecteur général des Monuments historiques ; parcourt la France et publie peu.

Sa carrière et sa vie vont connaître un tournant décisif en 1834. Cette année-là, Mérimée est nommé au poste d'inspecteur général des Monuments historiques. Cette fonction, créée en 1830, est issue d'une prise de conscience assez nouvelle : bon nombre des chefs-d'œuvre du patrimoine architectural français sont en ruine ou délaissés. Il faut donc que l'État intervienne pour conserver ces richesses menacées, et des romantiques comme Victor Hugo ou Chateaubriand s'engagent pour la sauvegarde des édifices médiévaux, des églises et des cathédrales. La mission de Mérimée est double : il doit faire l'inventaire précis des monuments et œuvres en péril, région par région, ville par ville ; il doit ensuite attribuer des subventions pour contribuer à leur restauration et leur conservation. Cette mission l'entraîne dans de longs déplacements qui lui feront parcourir la France pendant plusieurs mois chaque année.

Mérimée est un grand amateur de voyages. En 1830, il a passé 6 mois en Espagne et s'est enthousiasmé pour les paysages, les classes populaires, la corrida ou l'architecture mauresque. Il a publié à son retour des *Lettres d'Espagne* qui témoignent de son intérêt profond pour la culture espagnole – intérêt qui réapparaîtra dans des œuvres comme *Carmen* (1845) et qui imprégnait déjà *Le Théâtre de Clara Gazul*. Mérimée fera toute sa vie des voyages en Angleterre et visitera une grande partie de l'Europe. Mais, pour l'heure, sa fonction l'entraîne à sillonner la France et à rédiger des rapports très précis dans lesquels il décrit l'état souvent inquiétant des édifices mal restaurés ou laissés à l'abandon. L'écrivain nourrit parfois son œuvre littéraire de ces voyages, et l'attirance déjà précocement ressentie par Mérimée pour la Corse (dans *Mateo Falcone*, qui date de 1829) sera confirmée par un voyage professionnel, en 1839, qui inspirera *Colomba* (1840), son récit le plus connu.

• Un rôle important

Mérimée contribue activement à la restauration d'œuvres majeures du patrimoine national en mobilisant toute son énergie et en délaissant quelque peu la littérature. Il s'intéresse en particulier aux vestiges gallo-romains et aux édifices médiévaux : il parvient, par exemple, à sauver les peintures romanes de l'ancienne église abbatiale de Saint-Savin. Avec l'architecte Eugène Viollet-le-Duc, il fait restaurer l'église de Vézelay en Bourgogne (les travaux dureront presque 20 ans) et Notre-Dame de Paris. Celle-ci change de visage et, après d'importantes recherches historiques et archéologiques, bon nombre de statues et de sculptures ornementales sont rétablies. Les monuments antiques de Nîmes sont, eux aussi, restaurés et de nombreuses églises dans toute la France (de Caen à Carcassonne, de Laon à Quimper) bénéficient de cette politique dynamique. Mérimée s'intéressera, d'autre part, aux objets d'art et demandera des subventions pour racheter ou remettre en état des œuvres aussi importantes que la tapisserie de Bayeux, la tapisserie de *La Dame à la licorne* conservée au musée de Cluny (qu'il contribue à créer en 1844) ou le tombeau d'Innocent VI.

L'HOMME DE LETTRES

Dates clés

1840 : publication de *Colomba*.
1844 : il est élu à l'Académie française.
1845 : publication de *Carmen*.

Depuis la date de sa nomination en 1834, Mérimée a moins de temps à consacrer à la littérature : sa production proprement littéraire se fait rare. Outre *Les Âmes du purgatoire*, qui paraît en août 1834 dans la *Revue des deux mondes*, seuls six récits sont publiés avant 1866. Mais certains contribueront à la renommée de l'écrivain et sont considérés comme ses œuvres majeures. Deux nouvelles se rattachent au genre fantastique que Mérimée affectionne particulièrement : *La Vénus d'Ille* (1837) et *Il Vicolo di Madama Lucrezia* (parution posthume en 1873). Deux récits d'aventures teintés d'exotisme et de cruauté approfondissent la veine tragique : *Colomba* (1840), son plus grand succès de son vivant, et *Carmen* (1845). Enfin, deux nouvelles présentent des personnages qui donnent l'occasion à Mérimée de manifester une nouvelle fois son esprit satirique et anticlérical : *Arsène Guillot* (1844) et *L'Abbé Aubain* (1846).

Cette activité demeure donc secondaire, et progressivement, au fil de lectures érudites et d'études (du russe, en particulier), Mérimée va construire une œuvre d'historien et de traducteur (de Pouchkine et de Tourgueniev notamment). Outre des études particulières consacrées à l'art médiéval ou au patrimoine français (qu'il tire de ses volumineux rapports d'inspecteur), il écrit de nombreux ouvrages sur l'histoire russe, l'Antiquité latine ou encore l'Espagne.

Couronnement de ses ambitions d'homme de lettres, il est élu à l'Académie française en 1844.

LE COURTISAN VIEILLISSANT

Ami, depuis son premier voyage en Espagne, avec la famille du comte de Montijo, Mérimée sera aux premières loges quand la jeune fille qu'il a vue grandir, Eugénie de Montijo, épousera Napoléon III (janvier 1853), après l'installation du Second Empire (1852-1870). Mérimée se rallie au régime et, quelque peu écœuré par le spectacle sanglant de la révolution de 1848, devient résolument conservateur et hostile à tout régime républicain, s'éloignant définitivement de ses anciens amis libéraux (Hugo fera de lui l'une de ses cibles). Il partage désormais son temps entre le Sénat (Eugénie l'a fait nommer sénateur à vie en juin 1853), des voyages, quelques mois de retraite hivernaux à Cannes (quand ses problèmes respiratoires se feront plus menaçants), l'Académie française (où il dessine et caricature ses collègues !), la Commission des Monuments historiques et surtout la Cour

Dates clés

1853 : il est nommé sénateur à vie par l'impératrice Eugénie, épouse de Napoléon III.

1870 : décès de Mérimée.

qu'il suit dans ses déplacements, à Saint-Cloud,
à Fontainebleau, à Compiègne ou à Biarritz.
Prosper Mérimée écrira encore trois nouvelles
(dont *Lokis*) avant de s'éteindre à Cannes,
le 23 septembre 1870, meurtri par la chute de l'Empire,
la défaite militaire et l'exil de l'impératrice Eugénie.

Le commerce triangulaire

ESCLAVAGE ET TRAITE

• Définitions

Il ne faut pas confondre *esclavage* et *traite*.
L'*esclavage* est la condition d'un individu privé
de sa liberté, qui devient le propriété d'une autre
personne, exploitable et négociable comme un bien
matériel. La *traite* « *comprend tout acte de capture,
d'acquisition ou de cession d'un individu en vue de le
réduire en esclavage* » (extrait de la convention
de la Société des Nations, 1926).

• L'*esclavage* : une réalité de l'histoire de l'humanité

L'esclavage est un phénomène très ancien qui
accompagne le développement de bon nombre
de sociétés antiques, à Sumer, en Égypte, en Assyrie,
à Athènes ou à Rome. Longtemps, ce furent
principalement les prisonniers de guerre,
les délinquants, les rebelles qui connurent
la condition d'esclaves. Et les dettes contractées
pouvaient aussi entraîner la suppression de
la liberté pour les débiteurs.
Au Moyen Âge, une forme de servitude jugée plus
« acceptable » se répand dans le monde paysan
en Europe : le servage. Les serfs sont au service
d'un seigneur mais leur condition de vie s'améliore
globalement par rapport à celle des esclaves. Avec les
grandes découvertes de la Renaissance et l'exploitation
de nouvelles terres sur le continent américain

principalement, quelques puissances européennes vont se lancer dans un commerce d'esclaves sans précédent qu'on a depuis baptisé « la traite des Noirs ».

LA « TRAITE DES NOIRS »

• Rappel historique

La « traite des Noirs » (appelée « traite des Nègres » jusqu'au XXe siècle) désigne la déportation massive d'Africains, capturés et revendus par des trafiquants africains, puis réduits en esclavage dans des contrées étrangères.

L'esclavage des Noirs remonte à l'Antiquité égyptienne et les déplacements forcés de millions d'Africains précèdent la découverte du continent par les Portugais au XVe siècle. En effet, les populations noires furent les victimes, pendant tout le Moyen Âge (en particulier, à partir de l'expansion musulmane du VIIe siècle), d'un double commerce d'esclaves : des marchands arabes les vendaient en Afrique du Nord et dans le pourtour méditerranéen (on appelle ce commerce « la traite transsaharienne ») ou dans les pays du Moyen-Orient et d'Orient (la « traite orientale »).

• Qu'est-ce que la « traite atlantique » ?

La « traite atlantique » désigne plus spécifiquement le transfert des esclaves noirs qui, de la fin du XVe au XIXe siècle, fut organisé par les nations européennes, avec le concours de « vendeurs » africains (tel Tamango), pour alimenter en main-d'œuvre leurs colonies américaines. Pendant quatre siècles, 11 à 12 millions de Noirs furent ainsi déplacés dans des conditions effroyables et inhumaines. Dépouillés de leur liberté

À retenir

L'esclavage des Noirs : remonte à l'Antiquité égyptienne et s'est poursuivi, au VIIe siècle, avec l'expansion musulmane sur le continent africain ; dans l'Europe du XVe siècle, ce sont les Portugais qui, les premiers, organisèrent la « traite négrière ».

et de leur dignité, les Africains déportés furent les victimes d'un *« crime de lèse-humanité »*, selon l'expression du philosophe Condorcet reprise par Victor Schœlcher, qui fera voter l'abolition de l'esclavage en France en 1848.

Au XVIIIe siècle, des voix s'élevèrent contre la « traite des Nègres ». En 1766, le chevalier de Jaucourt l'avait dénoncée dans l'*Encyclopédie* en ces termes : *« Cet achat de Nègres pour les réduire en esclavage est un négoce qui viole la religion, la morale, les lois naturelles et tous les droits de la nature humaine. »* Indignation sans grand écho en cette époque florissante pour le commerce négrier français !

Depuis la loi Taubira de 2001, la « traite des Noirs » est reconnue officiellement par la France comme un crime contre l'humanité. Parce qu'elle traite l'être humain en objet (l'esclave noir vendu devient, pour les négriers, *« bois d'ébène »* ou *« pièce d'Inde »*) et nie son statut de personne dotée de droits essentiels, la « traite négrière » est un des épisodes tragiques de l'histoire humaine. Elle a laissé des empreintes durables, en Afrique, dans les anciennes colonies et dans la mémoire des descendants.

LE COMMERCE TRIANGULAIRE : GÉOGRAPHIE DE LA « TRAITE ATLANTIQUE »

• Pourquoi et comment ?

La « traite atlantique » pratiquée par les Européens est aussi appelée « commerce triangulaire », parce qu'elle dessine un triangle géographique reliant trois continents : l'Europe, l'Afrique et l'Amérique.

À retenir

La « traite atlantique » : désigne le transfert de près de 12 millions d'esclaves noirs par les nations européennes de l'Afrique vers les colonies américaines, de la fin du XVe au XIXe siècle.

Crime contre l'humanité : le commerce négrier est ainsi reconnu en France depuis la loi Taubira de 2001.

Le commerce triangulaire

Les découvertes successives du continent africain (1441) et des Amériques (1492), les progrès de la navigation et l'exploitation des îles des Caraïbes par les nations européennes sont rapidement suivis par la mise en place d'un commerce d'esclaves qui commence modestement au XVIe siècle, connaît son apogée au XVIIIe siècle et décline lentement au XIXe siècle.

• Un commerce en trois étapes

Le commerce des esclaves africains s'effectue en trois temps et se distingue ainsi du commerce « en droiture » reliant directement les nations européennes aux colonies. Des bâtiments de commerce quittent l'Europe chargés de marchandises destinées à l'échange contre les esclaves noirs. Le voyage peut durer de 1 à 5 mois, selon les conditions atmosphériques et les contrées visées en Afrique. Dans les cales du navire, en dehors des vivres et barriques d'eau, la cargaison est variée : armes et munitions, verroterie (la « pacotille »), étoffes, alcool... Contrairement à ce que l'on a pu dire, ces marchandises représentent une petite fortune et un investissement lourd. Les navires transportent aussi des chaînes, des colliers et fers destinés aux esclaves noirs, comme le rappelle Mérimée dans *Tamango*.

Les navires européens accostent devant la façade occidentale du continent africain (de l'actuelle Mauritanie à l'Angola principalement). Certains franchissent le cap de Bonne-Espérance et étendent ainsi la zone de commerce négrier à l'océan Indien et au Mozambique. En Afrique, le navire de commerce se transforme en navire négrier : un charpentier adapte

À retenir

Le commerce triangulaire : autre nom de la « traite atlantique » ; est ainsi appelé, parce qu'il dessine un triangle géographique reliant trois continents (l'Europe, l'Afrique et l'Amérique) ; se distingue du commerce « en droiture » reliant directement les nations européennes aux colonies.

souvent l'entrepont (entre la cale et le pont) pour parquer la cargaison d'esclaves. Le troc effectué, le bateau charge plusieurs centaines de Noirs, hommes (pour les deux tiers), femmes et enfants. Au XVIIIe siècle, certains bateaux déplaceront jusqu'à 1 000 Africains mais la plupart en entassent 300 à 500 dans des espaces confinés et insalubres. La durée de l'escale africaine varie de quelques semaines à plusieurs mois. Le navire se dirige ensuite vers les îles des Caraïbes, le Brésil ou l'Amérique du Nord. Là, les esclaves sont revendus aux planteurs : ils seront la force de travail principale qui va permettre l'essor des économies coloniales américaines. Le bateau redevient ensuite un navire de commerce ordinaire, chargé des produits tropicaux à la mode en Europe : sucre, café, cacao, tabac, indigo, coton.
Le voyage triangulaire aura duré de 15 à 20 mois.

UN PHÉNOMÈNE EUROPÉEN

• Le Portugal

Les navigateurs portugais sont les premiers Européens à découvrir les côtes africaines (en 1441) et à s'y implanter. Ils sont aussi les premiers, en Europe, à déporter des esclaves noirs vers les îles de l'Atlantique (Madère, Canaries, São Tomé...) et le Sud du Portugal. Au XVe siècle, ce commerce demeure tout de même modeste : les Portugais importent surtout de l'or, de l'argent, des peaux, des épices, de la gomme arabique et de l'ivoire ; les besoins en main-d'œuvre sont moindres.
Les Portugais inventent le « commerce triangulaire » au XVIe siècle. Ils bénéficient, jusqu'en 1580, d'un

monopole du commerce avec l'Afrique : en échange, les Espagnols, à la suite du traité de Tordesillas (1494), ont obtenu d'amples territoires américains (à l'exception du Brésil). Contre espèces sonnantes et trébuchantes, la couronne espagnole cède à des compagnies étrangères ou à des particuliers le droit d'importer des esclaves africains dans ses colonies (ce contrat est appelé *asiento*). Ainsi, la flotte espagnole n'occupera-t-elle jamais une place importante dans le commerce triangulaire.

- ## La République des Provinces-Unies et l'Angleterre

Au XVIIe siècle, deux nouveaux acteurs prennent le relais, quand la demande en esclaves croît sensiblement : les Hollandais d'abord, puis les Anglais. Après Lisbonne, Amsterdam, Rotterdam et Copenhague, Liverpool, Londres et Bristol vont devenir les principaux ports du commerce de traite. Liverpool demeurera le premier port négrier au monde et 5 700 navires négriers y seront armés jusqu'en 1807. Les Hollandais, quant à eux, seront les premiers à créer, en 1621, une grande compagnie nationale : la Compagnie des Indes occidentales, destinée au commerce avec le continent américain.
Au XVIIIe siècle, l'essor du commerce triangulaire anglais est spectaculaire. Ce pays occupe le premier rang mais la France devient, à cette époque, la seconde nation négrière d'Europe.

La Merope, **brick de New York (1820).**
Reproduction d'une aquarelle
de François Geoffroy Roux datée de 1882.

Le commerce triangulaire

LA TRAITE EN FRANCE

• Les Antilles

Si l'on excepte quelques tentatives précoces d'armateurs isolés, de flibustiers ou de pirates, la traite négrière commence véritablement en France dans la seconde moitié du XVIIe siècle. Le commerce maritime et l'installation aux Antilles deviennent une priorité pour Richelieu et surtout pour Colbert. Les Français s'établissent à cette époque en Guadeloupe, à la Martinique (1635) et à Saint-Domingue (1659), dont la partie occidentale deviendra officiellement française après le traité de Ryswick en 1697. Pour exploiter ces nouvelles terres, les premiers colons, après avoir rapidement épuisé les populations indigènes indiennes, font appel à des engagés français. Mais les volontaires n'affluent pas et les colons se tournent rapidement vers les populations serviles issues d'Afrique et réputées résistantes. Détail intéressant pour nous : le premier bateau qui pratiqua officiellement une expédition négrière (depuis La Rochelle), en 1643, s'appelait *L'Espérance* !

Les productions de sucre se développant très rapidement et exigeant une main-d'œuvre nombreuse, l'importation d'esclaves va croître de façon spectaculaire tout au long du XVIIIe siècle. Ainsi la Martinique, qui compte moins de 3 000 esclaves en 1656 pour une population insulaire de 15 000 personnes, atteint 26 000 esclaves noirs en 1713 et plus de 73 000 en 1790. À cette date, les Blancs sont un peu plus de 10 000.

Quant à Saint-Domingue, la plus peuplée des îles françaises à la veille de la Révolution, elle devient le pôle majeur d'importation d'esclaves dans les colonies françaises. En 1715, pour 7 000 colons, on compte 30 000 esclaves. De 1770 à 1790, on passe de 250 000 à 470 000 travailleurs noirs. Avec la Révolution, le mouvement n'est pas arrêté : en 1790, l'île reçoit encore près de 40 000 esclaves. Pendant ce temps, la production de sucre sur l'île atteint les 43 000 tonnes vers 1740, autant que l'ensemble des possessions anglaises à la même date. Chiffre qui sera doublé en 1789.

• L'âge d'or

L'âge d'or du commerce triangulaire français se situe au XVIIIe siècle, lorsque des lois (1716-1717) permirent aux principaux ports français de faire librement le commerce des « Nègres » et réduisirent de moitié les taxes sur les denrées en provenance des colonies. Nantes fut la ville qui profita vraiment de cette impulsion. Elle représentera plus de 40 % du trafic français (estimé à plus de 4 200 expéditions), loin devant Bordeaux, La Rochelle et Le Havre (qui représenteront, à elles trois, plus de 33 % du commerce triangulaire national), et très loin devant Saint-Malo, Lorient, Honfleur ou Marseille.

On peut discerner trois grandes phases : la première est celle de l'essor, où, de 1707 à 1755, une moyenne annuelle de 33 expéditions de traite quittent les ports de l'Hexagone ; puis la guerre de Sept Ans (1756-1763) interrompt brutalement cette croissance, qui reprend de plus belle entre 1763 et 1780, avec une moyenne annuelle de plus de 50 expéditions ; enfin, la dernière phase, de 1783 à 1792, est celle de l'envol, avec

À retenir

L'âge d'or de la traite en France : connaît trois grandes phases. 1707-1755 : phase d'essor (33 expéditions par an) ; 1763-1780 : reprise après une interruption due à la guerre de Sept Ans (50 expéditions par an) ; 1783-1792 : phase d'envol (100 expéditions par an). Nantes représente 40 % du trafic, suivi de Bordeaux, La Rochelle et Le Havre (33 %).

Le commerce triangulaire

1 009 expéditions en 10 ans, soit une moyenne
annuelle de plus d'une centaine d'expéditions.

« JUSTIFICATIONS »

• L'Église catholique

La position de l'Église face à l'esclavage a fluctué
au cours des siècles. Si certains théologiens ou papes
l'ont condamné, pendant plusieurs siècles en Occident
l'esclavage fut justifié en s'appuyant notamment,
tels saint Augustin et Thomas d'Aquin, sur un extrait
du *Politique*. Son auteur, le philosophe grec Aristote,
y explique que « *l'utilité des animaux privés et celle
des esclaves sont à peu près les mêmes ; les uns comme
les autres nous aident par le secours de leur force
corporelle à satisfaire les besoins de l'existence* [...].
*L'esclavage est donc un mode d'acquisition naturel
faisant partie de l'économie domestique* ».

Dès le XVe siècle, l'Église catholique légitima la « traite
des Noirs » avec un argument qui devait avoir un succès
certain jusqu'à l'époque coloniale : la déportation
permettait aux Noirs d'échapper aux guerres intestines
et aux Enfers ; ils pouvaient recouvrer la voie du
salut ! Ainsi, le 8 janvier 1454, le pape Nicolas V
autorisa-t-il le roi du Portugal à pratiquer la traite.
Si certains religieux, tels l'abbé Raynal, l'abbé Grégoire
ou, plus tardivement, l'abbé Édouard Goubert, se sont
engagés dans le camp abolitionniste et si le pape
Paul III a interdit l'esclavage en 1537, force est
de reconnaître que l'Église catholique demeura plutôt
silencieuse sur la question de la « traite des Noirs ».
Elle s'abstint de toute condamnation officielle pendant
toute la période du commerce triangulaire européen

et chercha davantage le moyen de justifier le maintien de l'esclavage dans les colonies. Il faudra attendre 1839 pour que le pape Grégoire XVI condamne officiellement le commerce des esclaves noirs et leur exploitation, soit plusieurs décennies après les premiers abolitionnistes quakers américains (fin du XVIIe siècle en Pennsylvanie) et après son interdiction en Angleterre et en France !

• Armateurs, négociants et Lumières

On retrouve logiquement un sentiment de bonne conscience chez les armateurs et négociants du XVIIIe siècle. Voici ce qu'écrit, par exemple, l'un d'entre eux, Jacques Savary, dans un traité de commerce (*Le Parfait Négociant*) qui est la Bible des armateurs de l'époque : « *Ce commerce paraît inhumain à ceux qui ne savent pas que ces pauvres gens sont des idolâtres, ou Mahométans, et que les marchands chrétiens, en les achetant à leurs ennemis, les tirent d'un cruel esclavage et leur font trouver dans les îles où ils sont portés, non seulement une servitude plus douce, mais même la connaissance du vrai Dieu, et la voie du salut par les bonnes instructions que leur donnent des prêtres et religieux qui prennent soin de les faire chrétiens, et il y a lieu de croire que, sans ces considérations, on ne permettrait point ce commerce* »...

Quant aux philosophes des Lumières, leur attitude face à la traite fut pour le moins partagée. Si Condorcet et Bernardin de Saint-Pierre la condamnent sans appel, Montesquieu la justifie économiquement dans *De l'esprit des lois* tout en la condamnant moralement et Voltaire investit une partie de sa fortune dans le commerce négrier. L'article « Traite des Nègres » de l'*Encyclopédie* est une charge vigoureuse contre la traite des Africains, pendant que l'article « Nègres » précise que les Noirs « *trouvent en Amérique les douceurs qui lui rendent la vie animale bien meilleure que dans leur pays* »...

LE CODE NOIR

Sous Louis XIV, Jean-Baptiste Colbert, qui donna une impulsion décisive au commerce international français en lançant la Compagnie des Indes (1664), s'employa à codifier les relations maîtres/esclaves dans les colonies françaises par le biais du Code noir. Paru après sa mort en 1685, le Code noir est, comme l'écrit Christian Delacampagne dans son *Histoire de l'esclavage* (LGF, 2002), un « *monstrueux paradoxe* », puisqu'il est « *la première tentative faite à l'époque moderne pour définir le statut juridique des esclaves, c'est-à-dire pour faire reconnaître par le droit l'existence d'un être par définition privé de tout droit* ». Dans ce code, qui comprend 60 articles, il est décrété que le statut juridique de l'esclave noir est celui d'un « bien meuble » (en droit, bien dont on acquiert la propriété et qui peut être déplacé, vendu et transmis par héritage) et non celui d'une personne. Selon le philosophe contemporain Louis Sala-Molins, auteur du *Code noir ou le Calvaire de Canaan* (PUF, 1985) : « *Louis XIV abandonne complètement l'esclave à son maître. La chosification et la bestialisation sont totales. Le roi se limite à adresser une recommandation à ses sujets pour qu'ils ne malmènent pas leur "propriété" qui est aussi leur "patrimoine"* »...

À BORD D'UN NAVIRE NÉGRIER

• *Les organisateurs*

Au XVIIIe siècle, les organisateurs des expéditions négrières sont souvent des bourgeois devenus armateurs dans les grands ports de la façade atlantique ou des aristocrates en mal de placements rentables. Ils sont très rarement spécialisés dans le commerce de traite, jugé coûteux et périlleux, et ils investissent parallèlement dans le commerce direct avec l'Amérique ou l'Orient. Cependant, la « traite négrière » suscite les convoitises car on y espère des gains spectaculaires.

Globalement, le commerce de traite rapportera des bénéfices assez comparables à d'autres placements de l'époque (entre 5 et 10 % de l'investissement). Mais, pour certains transports, les bénéfices atteindront plus de 100 % et la publicité faite aux succès attire alors les investisseurs.

Une expédition négrière est très coûteuse à organiser. L'armateur doit s'associer avec des actionnaires pour partager l'investissement (appelé « la mise-hors ») et les risques inhérents que représente une entreprise qui va parfois durer près de deux ans. L'armateur privé doit rassembler une somme deux à trois fois supérieure à celle d'un trajet « en droiture ». Il faut en effet financer le bateau et son armement, la nourriture de l'équipage et des esclaves pendant tout le trajet (l'« avitaillement »), la cargaison variée embarquée pour le troc (qui représente plus de 60 % du total investi en moyenne), les salaires d'un équipage plus nombreux que sur les autres bateaux de commerce et les assurances (qui peuvent être très élevées en périodes de guerre). Les diverses compagnies de commerce international, créées à cette époque, devaient permettre un financement étatique de l'investissement mais elles eurent des succès très relatifs et limités en France.

Si le commerce triangulaire, malgré son coût, intéresse tout de même les grands armateurs, ce n'est pas uniquement par goût du risque : certaines familles nantaises, rochelaises et bordelaises en tireront suffisamment de bénéfices pour faire construire de superbes hôtels particuliers et afficher une fortune conséquente au XVIIIe siècle. À cette époque d'ailleurs, les plus grandes fortunes de Nantes sont liées à ce commerce.

• L'équipage

L'armateur doit recruter un capitaine fiable et compétent : lui seul, en effet, sera maître à bord pour la navigation mais aussi pour les négociations commerciales, le transport et la vente des captifs. C'est donc une immense responsabilité et l'on recrute en général des marins aguerris (comme Ledoux !), des hommes d'expérience dignes de confiance. Il faut bien sûr aussi un second pour l'assister et le remplacer en cas d'accident mortel. Le salaire du capitaine (plus élevé que dans le commerce « en droiture ») est en général de 150 à 200 livres par mois, auxquelles s'ajoutent un pourcentage sur les ventes au retour et un droit de vente privé limité. Le capitaine peut ainsi ramener quelques esclaves, qu'il aura achetés avec ses propres marchandises, et les vendre à son bénéfice.

D'autres recrues ont une fonction importante :
le charpentier (qui aménage l'entrepont pour parquer
les Noirs), le tonnelier (qui s'occupe de la conservation
de l'eau et des aliments), le chirurgien (qui ausculte
les captifs au moment de l'achat).

Puis vient l'équipage de marins, avec sa diversité
et sa hiérarchie habituelles : officiers, ouvriers
spécialisés (calfat, voilier, armurier, gabier, etc.),
matelots, domestiques et mousses. Cet équipage
est plus nombreux que sur un autre bateau de
commerce : en effet, une fois le bateau transformé
en prison flottante, les marins deviennent les gardiens
des captifs africains ; d'autre part, le voyage étant plus
long, la mortalité est élevée (souvent plus de 15 %
des marins meurent en chemin) et d'éventuelles
désertions ou défections guettent à chaque escale.
Quand 20 marins suffisent pour conduire un bateau
de 300 tonneaux directement aux Antilles, il en faut
une cinquantaine pour rejoindre l'Afrique et charger
les 400 Noirs qui occuperont l'entrepont.

• La traite en Afrique

Arrivé en Afrique, une nouvelle aventure commence
pour le navire négrier : l'achat des esclaves. La durée
de cette phase varie selon le type de traite pratiquée,
la concurrence et la région abordée. Il existe, en effet,
plusieurs façons de s'approvisionner en esclaves noirs.
La « traite volante » consiste à accoster en différents
endroits pour négocier au coup par coup des
quantités limitées d'esclaves. L'inconvénient majeur
de cette traite est sa durée (et son caractère aléatoire).
En revanche, le capitaine peut choisir des esclaves plus

facilement et négocier leur prix : les bénéfices peuvent
donc être supérieurs.

La « traite ponctuelle » (celle pratiquée par Ledoux)
consiste à s'approvisionner en un endroit précis
et unique. Il peut s'agir des forts et comptoirs
aménagés par les grandes compagnies de commerce
européennes. Chaque grande nation négrière
en possède plusieurs avec des réserves d'esclaves
disponibles à la vente (par exemple, l'île de Gorée
et Ouidah pour la France). Il peut s'agir aussi d'une
ville négrière qui accueille des roitelets locaux
spécialisés dans ce commerce, comme l'emblématique
Tamango.

Les « captiveries », entrepôts dans lesquels les captifs
sont regroupés pour la vente, sont alimentées par des
trafiquants africains. Les esclaves sont presque toujours
pris dans des régions intérieures éloignées des côtes,
où les Européens (à part quelques téméraires
portugais) ne s'aventurent jamais. La demande
européenne en esclaves et, en parallèle, la demande
de l'Afrique de l'Ouest en armes à feu alimentée par
les négriers vont accélérer un processus de razzia qui
permettait déjà de fournir des esclaves aux marchands
arabes. Les attaques contre les villages et les guerres
se multiplient donc pour capturer la main-d'œuvre.
L'UNESCO estime que, pour 1 captif parvenu vivant aux
Amériques, 5 autres sont morts pendant les phases
de razzia, de guerre et de capture. La longue marche
forcée des captifs (avec des fourches de bois autour
du cou pour éviter toute fuite) vers les centres
de regroupement et les comptoirs de vente,
l'emprisonnement et la traversée complètent
cette sinistre comptabilité.

• La négociation

Quand il ne s'adresse pas directement à des comptoirs spécialisés gouvernés par des Européens, le capitaine du bateau négrier doit négocier avec le chef local. Après avoir offert quelques cadeaux au responsable africain (la « coutume »), le capitaine engage la négociation quand celle-ci est possible. Le chirurgien intervient alors pour sélectionner les meilleurs individus masculins (appelés « pièces d'Inde »), c'est-à-dire jauger leurs capacités et leur résistance. Les esclaves sélectionnés sont vendus individuellement à un prix qui varie de 100 à 300 livres environ, les autres étant souvent vendus par « lots ». Alors que l'afflux de demande au XVIIIe siècle donnait aux marchands une position de force qui limitait la discussion, au XIXe siècle, au moment de la « traite illégale », les conditions ont changé et l'offre excède parfois la demande – ce qui peut expliquer aussi la « braderie » de Tamango. Certains royaumes côtiers, qui s'étaient spécialisés dans le commerce d'esclaves avec les Européens, virent d'un mauvais œil la fin de la « traite négrière ». Les souverains du Dahomey (ancien nom du Bénin) annoncèrent ainsi qu'ils feraient périr leurs captifs s'ils ne pouvaient plus les vendre...

• Vers l'Amérique

Kidnappé dans son village, déporté sous bonne garde, parqué et enfermé dans des baraquements côtiers précaires, exhibé sur un marché, humilié, rasé entièrement et marqué au fer rouge après son achat, l'esclave est ensuite attaché et embarqué sur une mer qu'il voit souvent pour la première fois. Les suicides sont alors nombreux. On a peine à imaginer

« Danse dés Nègres (traversée) »,
gravure de Ruhière (collection particulière).

aujourd'hui les conditions effroyables qu'ont endurées
à bord les Africains déportés : entassés dans
un entrepont qui ne leur permet pas vraiment
de se lever, dormant assis ou les uns sur les autres,
attachés. Les hommes sont dirigés vers la partie avant
du bateau et enchaînés deux à deux, tandis que
les femmes et les enfants rejoignent l'arrière du navire.
On peut imaginer les conditions sanitaires de cette
prison flottante verrouillée la nuit pour éviter toute
tentative désespérée.

Le capitaine doit tout de même veiller à sa cargaison
car elle représente son capital. Il doit éviter les pertes
trop importantes, qui se chiffrent à plus de 10 %
en moyenne au XVIIIe siècle (quand elles étaient de 20 %
les siècles précédents). Certains capitaines refusent un
entassement excessif et se soucient de la nourriture
ou de l'hygiène de leur cargaison, là où d'autres
recherchent le nombre et multiplient les pertes. Ainsi
assiste-t-on parfois à des séances de danse destinées
à défouler et entretenir la forme des prisonniers. Voici,
par exemple, les conseils que donne Stanislas Foäche,
un planteur havrais, aux négriers : « *Le désordre dans
les petites choses oblige à frapper (les Noirs) ; de là le
mécontentement qui quelquefois mène à des révoltes.
Il faut empêcher le bruit confus, mais les faire souvent
chanter, danser, cela leur tient l'esprit content et le corps
moins sujet aux maladies. Pour répandre la gaieté pendant
la traversée, il faut leur faire parler les uns et les autres sur
le pays où ils vont afin de les rassurer sur leur sort, et que
toutes les actions tendent à leur persuader qu'on a de
l'humanité, sans cependant s'écarter des règles prescrites
pour le bon ordre ni cesser de punir les mutins* »...

Le commerce triangulaire

• Drames, mortalité et révoltes en mer

En cas d'intempérie ou d'épidémie, la mortalité due aux conditions d'incarcération dramatiques peut s'envoler. Un seul exemple donnera la mesure de cette tragédie : pendant la Restauration, à l'époque où la traite est déjà illégale, le navire *San Pablo* revient du Mozambique avec une cargaison de 800 esclaves. Il essuie alors une terrible tempête qui va durer plus d'une semaine. Impossible de laisser sortir les esclaves : on colmate même les accès et aérations pour éviter les infiltrations. Lorsque la tempête est dissipée, on ouvre l'entrepont : les marins découvrent près de 500 morts et des mourants par dizaines...

Les causes de mortalité sont multiples sur les navires négriers : dysenterie, fièvre typhoïde, scorbut (maladie due à une carence en vitamines), suicide et révolte. La durée et les conditions atmosphériques du voyage, la densité du navire et le traitement infligé à bord eurent aussi une importance décisive.

Les révoltes à bord des négriers furent assez rares, limitées à des cas individuels d'insubordination et généralement sévèrement réprimées. Pour tout le XVIIIe siècle, on a dénombré 155 cas de rébellion. Les esclaves représentant le capital des Européens, les révoltes se soldent le plus souvent par quelques tués et quelques blessés. En 1788, une révolte éclata à bord de *La Licorne*, navire négrier bordelais qui transportait 450 esclaves noirs : 2 rebelles trouvèrent la mort ; on dénombra aussi une vingtaine de blessés ; 80 mutins furent mis aux fers. Le capitaine regretta surtout la dépréciation de sa cargaison et la disparition de belles « pièces d'Inde ». Dans certains cas cependant, le combat fut féroce : en 1751, le navire négrier *La Sirène*

subit une révolte massive qui entraîna la mort de
199 captifs sur un total de 469.

• Le « refraîchissement »
   et la vente en Amérique

Avant de procéder à la vente de la cargaison
d'esclaves, on assure son « refraîchissement ». Il faut
en effet, après un voyage éprouvant, donner un aspect
« présentable » aux Africains déportés : on les nourrit
mieux pendant quelques jours, on les nettoie
énergiquement, on les frotte parfois à l'huile de palme.
Avec le concours du chirurgien de bord, on tente
d'effacer les blessures ainsi que tous les signes
évidents de maladie et d'affaiblissement. Tout est fait
pour donner au captif une apparence robuste et saine
destinée à obtenir un meilleur prix.

Le courtier représentant l'armateur dans les colonies,
le « subrécargue » (l'agent commercial à bord
du bateau) ou le capitaine procède alors à la vente
aux enchères des esclaves. La vente, souvent annoncée
officiellement par affichage, peut durer plusieurs
jours. Les esclaves les plus robustes sont vendus
individuellement les premiers, tandis que les plus
faibles peuvent être « soldés » par lots en fin de vente.
Les Africains sont exhibés, tâtés, palpés, examinés,
évalués, dans des conditions qui achèvent le processus
de « déshumanisation ». À l'époque de la Révolution
française, il en coûtait environ 1 500 à 2 500 livres par
esclave, une somme conséquente dont le paiement
était fréquemment échelonné et réglé en partie par
un troc avec des produits locaux.

Une fois devenu la propriété d'un propriétaire terrien,
l'esclave est souvent « estampillé » au fer et acheminé

vers l'exploitation. Plus de la moitié des captifs est employée dans les plantations prospères de sucre, aux Antilles et au Brésil. Les autres alimentent les plantations de coton nord-américaines, les exploitations de café, d'indigo, ou deviennent serviteurs.

La mortalité au cours des deux premières années est très élevée (15 à 20 %, par exemple, à Saint-Domingue) et l'espérance de vie d'un esclave débarqué ne dépasse pas dix années. L'épuisement au travail, dans des conditions particulièrement pénibles, et les épidémies diverses expliquent cette mortalité. L'écrivain Bernardin de Saint-Pierre le notait déjà au XVIIIe siècle dans son *Voyage à l'île de France* : « *Je ne sais pas si le café et le sucre sont nécessaires au bonheur de l'Europe, mais je sais bien que ces deux végétaux ont fait le malheur de deux parties du monde. On a dépeuplé l'Amérique afin d'avoir une terre pour les planter ; on dépeuple l'Afrique afin d'avoir une nation pour les cultiver.* » Les fortunes de quelques colons et armateurs se sont ainsi nourries du sang et de la sueur de millions d'Africains.

L'ABOLITION DE L'ESCLAVAGE EN FRANCE

• Première abolition en 1794

Face à une exploitation aussi meurtrière et scandaleuse, des esclaves se suicident, d'autres se révoltent et s'enfuient (c'est le « marronnage »). À Saint-Domingue notamment, dans les années qui suivent la Révolution française (à partir d'août 1791), les esclaves (12 fois plus nombreux que les Blancs) se regroupent sous le commandement d'un stratège noir : Toussaint Louverture. La révolte balaie les exploitations et les colons en place. Ces événements sont à l'origine d'une première abolition de l'esclavage votée par la Convention en février 1794 et finalement restée lettre morte dans la plupart des territoires français concernés.

Sous la pression des colons, l'esclavage sera rétabli par Bonaparte en mai 1802, tandis qu'une expédition punitive envoyée à Saint-Domingue capturera Toussaint Louverture (qui meurt en 1803), avant d'être décimée par les rebelles, la fièvre jaune et le paludisme. L'indépendance de Saint-Domingue, devenue Haïti, est officielle en 1804.

Il faut alors dissocier condamnation de l'esclavage et condamnation de la « traite négrière ». La première association créée en France (1788) pour défendre les Africains, la Société des amis des Noirs, prônait ainsi la suppression de la traite mais le maintien provisoire de l'esclavage. Ce sont les protestants anglais qui se montreront les plus offensifs dans ce domaine et qui auront longtemps l'initiative. Condamnée en Angleterre en 1807, la traite le sera aussi en France en 1815. Mais l'esclavage est maintenu.

• La traite illégale

À partir de 1815, pendant la Restauration et sous la monarchie de Juillet, la traite devient donc « illégale » en France. Mais les moyens d'action sont limités et il faudra plusieurs lois (en 1818, 1827 et 1831) pour que la répression s'organise et soit suffisamment dissuasive. Comme l'indiquent les premières lignes de *Tamango*, le commerce de traite sous la Restauration demeure prospère, à Nantes en particulier, où les autorités se montrent peu

À retenir

L'abolition de la traite et de l'esclavage en France : l'esclavage a été aboli une première fois en février 1794 avant d'être rétabli par Bonaparte en 1802 ; la traite devient illégale en 1815 mais l'esclavage est maintenu – il ne sera définitivement aboli qu'en avril 1848, grâce à Victor Schœlcher.

Le commerce triangulaire

regardantes... Plus de 700 navires négriers partent encore des côtes françaises. La période la plus florissante de la traite illégale nantaise se situe d'ailleurs entre 1816 et 1825 : sur les 318 expéditions négrières connues, la ville arme alors 231 navires. C'est dans cette décennie qu'il faut situer le voyage du capitaine Ledoux.

Pendant la Restauration, le coût des esclaves baissant en Afrique (la demande s'étant effondrée) et augmentant dans les colonies, les opérations négrières, menacées simplement par la flotte anglaise (jusqu'en 1825 environ), deviennent très rentables quand elles réussissent. Signalons qu'à cette époque la mortalité des Africains augmente brutalement lors de ces transports (elle dépasse les 13 % et atteint parfois les 25 %) et qu'un degré sera encore gravi dans l'horreur : certains navires préfèrent, en effet, se débarrasser entièrement de leur cargaison en cas de menace ; d'autres tentent leur chance avec un taux d'entassement encore supérieur à ceux connus précédemment.

À cette époque, les navires négriers prennent le plus souvent la route de Cuba et du Brésil, pays qui aboliront l'esclavage tardivement. Entre 1808 et 1867, les historiens ont identifié 7 750 expéditions négrières touchant l'Afrique : 1 635 expéditions (soit 21 %) aboutirent à une condamnation, parmi lesquelles 1 395 seront le fait des Anglais.

Quant à l'abolition définitive de l'esclavage, il faudra attendre l'action du sous-secrétaire d'État à la Marine et aux Colonies Victor Schœlcher (1804-1893) et la IIe République pour qu'elle soit décrétée le 27 avril 1848.

Le genre
de la nouvelle

Dans une lettre à l'écrivain russe Tourgueniev, Prosper Mérimée évoque son goût pour l'écriture de récits courts : « *Mon défaut à moi a toujours été la sécheresse ; je faisais des squelettes et c'est peut-être pour cela que je blâme le trop d'embonpoint.* » Si l'on excepte les premières publications de Mérimée qui alternent créations poétiques et œuvres théâtrales, la plupart des textes de fiction publiés par notre auteur sont des nouvelles, de *Mateo Falcone* à *Lokis*, en passant par *Tamango* ou *Carmen*. Mérimée affectionne la « *sécheresse* » de la nouvelle et reste réfractaire à l'écriture narrative ample d'un roman. À ce goût personnel, il faut ajouter quelques considérations sur le contexte éditorial pour comprendre le succès d'un genre déjà ancien mais florissant au XIXe siècle. La vague des nouvelles, qui s'ébauche avec Mérimée, ne fera que se confirmer dans les décennies suivantes avant de connaître un apogée avec Maupassant.

NOUVELLE ET ROMAN

• Définition

La nouvelle est un récit bref, dont la longueur, variable, n'excède guère quelques dizaines de pages. Cette différence de volume avec le roman traditionnel permet un resserrement de l'action autour de quelques personnages et d'événements limités.

Le genre de la nouvelle

• L'action et les personnages

Contrairement au roman, qui peut développer
et croiser les intrigues tout en multipliant le nombre
de personnages, une nouvelle se concentre en général
sur un ou deux personnages et préfère l'intrigue
unique. Dans *Tamango*, outre le héros éponyme,
le négrier Ledoux et Ayché se détachent, tandis que les
autres figures demeurent tout à fait secondaires. Elles
sont anonymes.

Paul Bourget résumait ainsi l'opposition entre roman
et nouvelle, dans un article consacré à Mérimée :
« *La matière de l'un et de l'autre est trop différente. Celle
de la nouvelle est un épisode, celle du roman une suite
d'épisodes. Cet épisode que la nouvelle se propose de
peindre, elle le détache, elle l'isole. Ces épisodes dont
la suite fait l'objet du roman, il les agglutine, il les
relie. Il procède par développement, la nouvelle par
concentration* [...]. *Elle est un solo. Le roman est une
symphonie.* »

La nouvelle s'attarde assez peu sur les évolutions
lentes et les mouvements intérieurs profonds qui
peuvent animer un personnage. Elle préfère en
général un événement révélateur qui va dévoiler
parfois brutalement la psychologie et l'intériorité des
personnages. Dans *Tamango*, le narrateur nous donne
accès à quelques raisonnements de Ledoux qui
suffisent à comprendre sa logique et son absence
totale de préoccupation humaniste ou simplement
humaine. En quelques lignes l'essentiel est suggéré,
le mécanisme psychologique du criminel d'envergure
est désigné. L'absence de considération pour le Noir,
le racisme élémentaire et immédiat de Ledoux sont les
fondements du crime contre l'humanité qu'il perpétue

sans aucun remords, ni mauvaise conscience, dans l'inconscience la plus parfaite. Le Noir n'est pas un être humain : l'éliminer n'est donc pas un crime mais une simple perte sur investissement pour le négrier.

• *L'espace-temps*

Autre conséquence de la brièveté, l'espace-temps de la nouvelle est plus resserré en général que dans un roman. Ceci n'est pas une loi, bien sûr, et l'on peut très bien envisager un roman de plusieurs centaines de pages consacré à une journée ou, inversement, une nouvelle résumant la vie de quelqu'un. Mais la nouvelle se prête moins à la biographie et à l'enchaînement des épisodes vécus dans la durée. Elle préfère le moment, l'accident ou la tranche de vie. Dans un roman, le premier paragraphe de *Tamango* aurait pu donner lieu à la construction d'une narration étoffée relatant la vie de Ledoux. De même, le passé de Tamango n'est jamais évoqué dans la nouvelle, alors que, dans un roman, son itinéraire biographique jusqu'à sa rencontre avec Ledoux aurait pu être développé.

• *Un type de lecture particulier*

Ces caractéristiques esthétiques entraînent aussi un type de lecture particulier auquel un écrivain comme Edgar Poe sera particulièrement sensible : la nouvelle peut être lue sans interruption, favorisant ainsi l'intensité de l'illusion et de la projection pour un lecteur plus facilement captivé. « *L'absence d'interruption permet à l'auteur de mettre intégralement son dessein à exécution. Pendant l'heure que dure la lecture, l'âme du lecteur demeure sous la coupe* de l'écrivain », écrit Edgar Poe dans *L'Art du conte*. Son traducteur français, le poète Charles Baudelaire, précise, reprenant les théories du nouvelliste américain : « *La nouvelle a sur le roman à vastes proportions cet immense avantage que sa brièveté ajoute à l'intensité de l'effet. Cette lecture, qui peut être accomplie tout d'une haleine, laisse dans l'esprit un souvenir bien plus puissant qu'une lecture brisée, interrompue souvent par les tracas des affaires et le soin des intérêts mondains. L'unité d'impression, la totalité d'effet est un avantage immense qui peut donner à ce genre de composition une supériorité tout à fait particulière* » (*L'Art romantique*). La sécheresse revendiquée par Mérimée est ainsi un gage d'efficacité.

LES CONTRAINTES ÉDITORIALES

Si la nouvelle est appréciée pour son esthétique minimaliste et efficace, la publication de tels récits intéresse aussi les journaux à une époque où la presse va connaître une impulsion décisive. Et ce contexte éditorial est déterminant dans le choix de bon nombre d'écrivains du XIXᵉ siècle.

• Un tournant pour les écrivains

L'édition littéraire, assurée par des libraires (qui deviendront bientôt des « éditeurs » à part entière), connaît une crise dans les années qui précèdent l'avènement de la monarchie de Juillet. La publication de livres n'est plus rentable. Les jeunes écrivains ambitieux sont de plus en plus enclins à se tourner vers une presse qui leur offre les seuls débouchés éditoriaux rémunérés.

Ainsi, en 1829, la *Revue de Paris* est fondée. En octobre, *Tamango* paraît dans cette nouvelle revue littéraire à laquelle Mérimée participe depuis sa fondation : il a déjà livré *Mateo Falcone* en mai, *Vision de Charles XI* en juillet et *L'Enlèvement de la Redoute* en septembre. La même année, la *Revue des deux mondes*, qui se veut aussi un magazine ambitieux abordant l'actualité, les arts et la politique, est lancée avec succès. Mérimée y publiera *Carmen* en 1845, tandis que Baudelaire, quelques années plus tard, signera dans cette revue.

• Une presse audacieuse

Presque tous les écrivains de la génération romantique, tous ceux qui veulent vivre de leur plume vont écrire pour les revues et les journaux. Le phénomène s'accentue à partir de 1836, quand un patron de presse audacieux, Émile de Girardin, parvient à diviser par deux le prix de l'abonnement, en intégrant la publicité à son journal *La Presse*. Il crée aussi, pour fidéliser son lectorat, le « roman-feuilleton », qui connaîtra ses heures de gloire avec Alexandre Dumas, Balzac, Soulié et Eugène Sue. La même année, un autre patron ambitieux, Armand Dutacq, lance, avec le soutien du banquier Jacques Laffitte (également député libéral, il avait déjà lancé le journal d'opposition *Le National*), le journal d'opinion *Le Siècle* sur le même modèle. Pendant la monarchie de Juillet, le tirage des journaux et des revues sera multiplié par quatre à Paris, tandis que la presse de province connaîtra à son tour un essor spectaculaire.

Le genre de la nouvelle

- **Divertir son lectorat**

À une époque où la télévision et le cinéma n'existent pas, les journaux souhaitent divertir leurs lecteurs par le biais de la littérature. Et avant l'invention du roman-feuilleton (1836), qui permettra la publication d'ouvrages longs découpés en épisodes, la mode est au récit court. Les journaux recherchent des nouvellistes, mais aussi des chroniqueurs et des voyageurs susceptibles de restituer leurs impressions. Mérimée publiera ainsi ses *Lettres d'Espagne* dans la *Revue de Paris* en 1831. Lui qui, après ses premiers essais littéraires assez confidentiels, cherche le succès public s'adapte et écrit pour ces revues ambitieuses, prometteuses, qui, contrairement aux romans, offrent une rémunération immédiate.

- **Une nouvelle esthétique littéraire**

Si la littérature entre dans les journaux, on pourrait aussi souligner que la démarche journalistique investit tout un pan de l'esthétique littéraire à partir des années 1830. La démarche adoptée par Mérimée dans *Tamango* en témoigne à sa façon : l'écriture narrative est nourrie de détails véridiques, d'une documentation sérieuse, basée sur une véritable enquête journalistique. L'actualité la plus brûlante fait ainsi son entrée dans un texte de fiction, de même que, quelques années auparavant, un drame maritime contemporain avait fait son entrée dans la peinture d'Histoire avec *Le Radeau de la Méduse*, œuvre monumentale et polémique du génial Géricault.

Groupement de textes :
L'abolition...
et après ?

Même si l'abolition de l'esclavage dans les colonies françaises en 1848 constitue une date essentielle, il ne faut pas oublier la longue et triste histoire de la traite qui la précéda. Célébrer le geste humaniste d'émancipation est salutaire. Mais, comme nous le rappelle Françoise Vergès et le Comité pour la Mémoire de l'Esclavage, se souvenir des souffrances subies par les victimes d'un commerce qui dura plusieurs siècles semble tout aussi indispensable pour reconstruire une vérité historique sans amnésie et sans dissimulation, et éviter aussi une mémoire partielle et partiale. Trop longtemps occultée, la mémoire de l'esclavage fait irruption dans un mouvement littéraire qui la revendique et qui ressuscite le Nègre africain déporté : la « *négritude* ». Au moment même où le colonialisme vit son âge d'or, dans les années qui précèdent la Seconde Guerre mondiale, des écrivains antillais et africains, comme Léopold Sédar Senghor (1906-2001), futur président du Sénégal, inventent une poésie qui plonge dans les profondeurs d'une mémoire occultée et tragique. Aimé Césaire, René Depestre et Joseph Zobel illustrent un mouvement de pensée et d'écriture que de brillants écrivains antillais ont ainsi défini : « *La Négritude, en contestant l'ordre colonial, nous restitua quelque chose dont nous avions perdu même l'écho : le cri, le cri originel, surgi des cales du bateau négrier et à la vibration duquel vient s'enraciner notre littérature* » (Patrick Chamoiseau et Raphaël Confiant, *Lettres créoles*, Gallimard, 1999).

En dépit de ses abolitions et des combats pour l'endiguer, l'esclavage n'est pas mort. Après son interdiction, les nations coloniales ont inventé d'autres systèmes d'exploitation. Ainsi fut mis en place, dans la seconde moitié du XIXe siècle, le « travail forcé » dans des colonies contrôlées par les nations mêmes qui avaient défendu la liberté, les droits de l'homme, l'émancipation des esclaves et l'égalité... Les colonies françaises eurent ainsi recours à une nouvelle main-d'œuvre supposée libre et volontaire : les « engagés », venus d'Afrique, de Chine et d'Inde. Interdit, l'esclavage fut alors remplacé par une servitude légale.

Comme nous l'indique Howard Dodson, l'esclavage contemporain et la traite existent. Cette dernière concernerait 27 millions de personnes dans le monde aujourd'hui, et principalement parmi les populations « misérables », celles qui n'ont pas le droit à une protection étatique, juridique ou simplement familiale, et qui doivent vendre le seul bien qu'elles possèdent, leur corps, au profit de nantis sans scrupule ou de négriers modernes. Les enquêtes de Dominique Torrès et de Binka Le Breton que nous proposons nous donnent quelques exemples que l'actualité vient périodiquement rappeler.

FRANÇOISE VERGÈS, LA MÉMOIRE ENCHAÎNÉE

L'abolition de l'esclavage en 1848 fut accompagnée d'indemnisations pour les maîtres. Aussi, les planteurs purent-ils agrandir leurs domaines et investir dans les banques locales, cependant que les anciens esclaves, laissés sans ressources, peinèrent à survivre. L'affranchissement signifia donc un accès à une liberté de principe mais certainement pas à une égalité et à une fraternité : on glissa de l'esclavage à la servitude au profit des anciens maîtres.

Rappeler ces évidences avec Françoise Vergès n'est pas simple. En effet, l'histoire de France a glorifié pendant des décennies la générosité des abolitionnistes français, niant ou raturant les réalités d'un esclavage qui appartient à notre héritage commun.

L'histoire de la traite négrière et de l'esclavage tombe dans l'oubli dès le lendemain de l'abolition de 1848. Les ports négriers dissimulent la traite, les sociétés anciennement esclavagistes ne veulent plus en entendre parler, les élites de « couleur », jugeant ce passé honteux et humiliant, cherchent à faire l'impasse sur cette expérience de l'inhumanité, et la République occulte des pages d'histoire qui ne participent pas de la geste[1] du progrès inéluctable qu'elle promeut. La nation reste indifférente et produit des récits amnésiques qui contribuent à la formation de troubles de la mémoire. Ainsi des mémoires plurielles se retrouvent-elles confrontées à un seul récit officiel.

La France, seule puissance esclavagiste européenne à avoir connu deux abolitions de l'esclavage (1794 et 1848), choisit de faire silence sur ces événements. En donnant le meilleur rôle aux abolitionnistes français, l'historiographie[2] républicaine liquide les situations qui l'explicitent : la traite, les résistances, les révoltes, les rivalités entre puissances esclavagistes, leur enrichissement. La vie des captifs et des esclaves n'est intégrée ni dans la geste de l'émancipation ni dans le récit national.

Aux colonies, le décret perd de sa force émancipatrice, car les commissaires de la République placent l'avènement de la République sous le signe de la soumission à l'ordre colonial. Au plan juridique, avec l'abolition de l'esclavage, les maîtres subissent un préjudice matériel, alors que la fin de la servitude forcée constitue en elle-même une compensation suffisante pour les

notes

1. la geste : l'histoire glorifiante.

2. historiographie : ensemble des ouvrages historiques consacrés à cette époque.

affranchis. Les maîtres reçoivent un dédommagement financier ; les esclaves sont libres à condition de signer un contrat de travail. Toute contravention entraînera des peines de travail forcé. De nombreux affranchis soulignent aussitôt le caractère inégal de cet acte. [...] L'abolition reconduit l'inégalité en organisant la transition de l'esclavage à la servitude. Ce fait hante le débat actuel sur l'esclavage.

Françoise Vergès, *La Mémoire enchaînée : questions sur l'esclavage*, Albin Michel, 2006.

AIMÉ CÉSAIRE, CAHIER D'UN RETOUR AU PAYS NATAL

Retrouver la mémoire de l'esclave nègre et la revendiquer comme source d'une identité à assumer sans mépris et sans honte, telle est la démarche du poète et ancien député martiniquais Aimé Césaire. La poésie doit redonner voix à cette identité noire longtemps refoulée, revendiquer sa « *négritude* », répercuter le cri viscéral de l'esclave déporté, qui est aussi l'acte de naissance douloureux de l'Antillais. Poésie de la mémoire nègre contre amnésie de la société française et martiniquaise. Protestant contre la colonisation des esprits et l'aliénation des imaginaires, Césaire refuse l'exotisme de pacotille ou la fascination pour le bon goût français. Sa poésie est violente, parce qu'elle plonge au cœur de l'injustice originaire faite au peuple africain. Elle refuse le bon goût, la civilité, l'esthétique d'une culture qui pratique l'esclavage ou l'exploitation criminelle des plus faibles, tout en affichant son raffinement apparent, sa morale ou son humanisme de façade.

Et ce pays cria pendant des siècles que nous sommes des bêtes brutes ; que les pulsations de l'humanité s'arrêtent aux portes de la négrerie ; que nous sommes un fumier ambulant hideusement prometteur de cannes tendres et de coton soyeux ; et l'on nous marquait au fer rouge et nous dormions dans nos excréments et l'on nous vendait sur les places, et l'aune[1] de drap anglais et la viande salée d'Irlande coûtaient moins cher que nous, et ce pays était calme, tranquille, disant que l'esprit de Dieu était dans ses actes. [...]

J'entends de la cale monter les malédictions enchaînées, les hoquettements[2] des mourants, le bruit d'un qu'on jette à la mer... les abois[3] d'une femme en gésine[4]... des raclements d'ongles cherchant des gorges... des ricanements de fouet... des farfouillis de vermine parmi les lassitudes...

Aimé Césaire, *Cahier d'un retour au pays natal*, Présence Africaine, 1971.

JOSEPH ZOBEL, LA RUE CASES-NÈGRES

Influencé par Aimé Césaire dans sa jeunesse, Joseph Zobel (1915-2006) publie en 1950 ce roman autobiographique qui est aussi une description, sans complaisance et sans concession à l'exotisme facile, de la vie en Martinique. Peintre du petit peuple et des délaissés, Joseph Zobel évoque dans son livre la condition des travailleurs agricoles dans les grandes exploitations tenues par les Békés ou Blancs créoles de la Martinique. Ceux-ci sont les héritiers directs d'un système d'exploitation qui remonte à l'esclavage, comme le rappelle le sage Médouze, un vieil homme qui transmet au jeune José Bassam, le narrateur du roman, cette mémoire douloureuse trop souvent occultée.

Certains soirs, soit dans ses contes, soit dans ses propos, M. Médouze évoque un autre pays plus lointain, plus profond que la France, et qui est celui de son père : la Guinée. Là, les gens

notes

1. ***aune :*** ancienne unité de mesure pour les étoffes.

2. ***hoquettements :*** néologisme formé sur le mot *hoquet*.

3. ***abois :*** cris de panique.

4. ***en gésine :*** en couches, sur le point d'accoucher.

sont comme lui et moi ; mais ils ne meurent pas de fatigue ni de faim.

On n'y voit pas la misère comme ici.

Rien de plus étrange que de voir M. Médouze évoquer la Guinée, d'entendre la voix qui monte de ses entrailles quand il parle de l'esclavage et raconte l'horrible histoire que lui avait dite son père, de l'enlèvement de sa famille, de la disparition de ses neuf oncles et tantes, de son grand-père et de sa grand-mère.

— Chaque fois que mon père essayait de conter sa vie, poursuit-il, arrivé à « J'avais un grand frère qui s'appelait Ousmane, une petite sœur qui s'appelait Sokhna, la dernière », il refermait très fort ses yeux, se taisant brusquement. Et moi aussi, je me mordais les lèvres comme si j'avais reçu un caillou dans le cœur. « J'étais jeune, disait mon père, lorsque tous les nègres s'enfuirent des plantations, parce qu'on avait dit que l'esclavage était fini. » Moi aussi, je gambadai de joie et je parcourus toute la Martinique en courant ; car depuis longtemps j'avais tant envie de fuir, de me sauver. Mais quand je fus revenu de l'ivresse de la libération, je dus constater que rien n'avait changé pour moi ni pour mes compagnons de chaînes. Je n'avais pas retrouvé mes frères et sœurs, ni mon père, ni ma mère. Je restai comme tous les nègres dans ce pays maudit : les békés gardaient la terre, toute la terre du pays, et nous continuions à travailler pour eux. La loi interdisait de nous fouetter, mais elle ne les obligeait pas à nous payer comme il faut.

« Oui, ajoutait-il, de toute façon, nous restons soumis au béké, attachés à sa terre ; et lui demeure notre maître. »

Joseph Zobel, La Rue Cases-Nègres, Présence Africaine, 1974.

RENÉ DEPESTRE, MINERAI NOIR

Bien que la poésie de l'Haïtien René Depestre soit souvent un hymne sensuel à la beauté et une célébration des forces vitales qui produisent d'émouvants tissages et métissages humains, elle se fait ici l'écho d'une mémoire plus douloureuse. Le recueil *Minerai Noir*, publié en 1956, s'inscrit dans le grand

mouvement de la « *négritude* » et peut être lu comme
un hommage aux grands poètes qui l'ont incarnée : Senghor
ou Césaire (qu'il rencontra à Haïti en 1944). Depestre évoque
les souffrances et les humiliations de l'esclavage, l'exploitation
de peuples considérés comme des ressources économiques,
de simples matières premières. Sa poésie est aussi mémoire
de ce désespoir, protestation devant l'exploitation, effort pour
dire le silence contraint des misérables et le cri des sempiternels
opprimés, alliage violent de douleurs et d'appels à la révolte.

> Quand la sueur de l'Indien se trouva brusquement tarie par
> [le soleil
> Quand la frénésie de l'or draina au marché la dernière goutte
> [de sang indien
> De sorte qu'il ne resta plus un seul Indien aux alentours des mines
> [d'or
> On se tourna vers le fleuve musculaire de l'Afrique
> Pour assurer la relève du désespoir
> Alors commença la ruée vers l'inépuisable
> Trésorerie de la chair noire
> Alors commença la bousculade échevelée
> Vers le rayonnant midi du corps noir
> Et toute la terre retentit du vacarme des pioches
> Dans l'épaisseur du minerai noir
> Et tout juste si des chimistes ne pensèrent
> Au moyen d'obtenir quelque alliage précieux
> Avec le métal noir tout juste si des dames ne
> Rêvèrent d'une batterie de cuisine
> En nègre du Sénégal d'un service à thé
> En massif négrillon des Antilles
> Tout juste si quelque curé
> Ne promit à sa paroisse
> Une cloche coulée dans la sonorité du sang noir
> Ou encore si un brave Père Noël ne songea
> Pour sa visite annuelle
> À des petits soldats de plomb noir
> Ou si quelque vaillant capitaine

Ne tailla son épée dans l'ébène minéral
Toute la terre retentit de la secousse des foreuses
Dans les entrailles de ma race
Dans le gisement musculaire de l'homme noir
Voilà de nombreux siècles que dure l'extraction
Des merveilles de cette race
Ô couches métalliques de mon peuple
Minerai inépuisable de rosée humaine
Combien de pirates ont exploré de leurs armes
Les profondeurs obscures de ta chair
Combien de flibustiers[1] se sont frayé leur chemin
À travers la riche végétation des clartés de ton corps
Jonchant tes années de tiges mortes
Et de flaques de larmes
Peuple dévalisé peuple de fond en comble retourné
Comme une terre en labours
Peuple défriché pour l'enrichissement
Des grandes foires du monde
Mûris ton grisou[2] dans le secret de ta nuit corporelle
Nul n'osera plus couler des canons et des pièces d'or
Dans le noir métal de ta colère en crue.

René Depestre, *Minerai Noir*, Présence Africaine, 1956.

RYSZARD KAPUŚCIŃSKI, ÉBÈNE

Grand reporter polonais, écrivain et connaisseur hors pair
de l'Afrique (qu'il aime à décrire comme une « *planète à part* »,
un « *cosmos hétérogène et immensément riche* »), Ryszard
Kapuściński, décédé en janvier 2007, a consacré plusieurs
ouvrages à l'histoire contemporaine de ce continent qu'il
a parcouru pendant 40 ans. Dans un ouvrage passionnant
intitulé *Ébène* (élu meilleur livre de l'année 2000 par

notes

1. flibustiers : personnes qui vivent de vol (sens premier : pirates des mers d'Amérique).

2. grisou : gaz qui devient explosible au contact de l'air.

le magazine français *Lire*), il raconte ses aventures diverses et ses rencontres, émouvantes et rocambolesques, du Mali à Zanzibar, de l'Éthiopie au Sénégal. Il évoque à plusieurs reprises l'héritage de l'esclavage dans la conscience des Africains et le système du « travail forcé » mis en place par les colonisateurs dans les années 1880. Accompagné de mauvais traitements et d'une mortalité effroyable, ce travail contraint était aussi dénoncé par André Gide en 1927 dans son *Voyage au Congo*. Gide, à qui l'on doit cette maxime intemporelle : « *Moins le Blanc est intelligent, plus le Noir lui paraît bête* » !

Maintenant que les États d'Europe s'étaient partagé l'Afrique, ils pouvaient tranquillement investir dans les territoires riches et fertiles de leurs colonies qui leur promettaient monts et merveilles : plantations de café, de thé, de coton ou d'ananas, mines de diamants, d'or ou de cuivre.

Toutefois les moyens de transport faisaient défaut. Les Africains, qui jadis transportaient tout sur leur tête, ne suffisaient plus. Il fallait construire des routes, des voies ferrées et des ponts. Oui, mais qui devait le faire ? Il n'était pas question d'importer une main-d'œuvre blanche : le Blanc était un seigneur, il ne pouvait travailler physiquement. Au début, le travailleur africain était lui aussi exclu : il n'existait tout simplement pas. Il était difficile d'attirer la population locale vers un travail lucratif, car elle n'avait aucune notion de l'argent (le commerce qui existait ici depuis des siècles se faisait sous forme de troc : on échangeait, par exemple, les esclaves contre des armes à feu, des blocs de sel, des étoffes de percale).

Peu à peu, les Anglais ont instauré un système de travail obligatoire : le chef de la tribu devait fournir un contingent d'hommes pour un travail gratuit. On plaçait ceux-ci dans des camps. Quand ces grandes concentrations de goulags[1] étaient signalées sur une carte, cela prouvait que le colonialisme était fortement enraciné

note

1. **goulags :** camps de travail forcé à l'époque de l'URSS stalinienne.

dans la région. Avant de parvenir à cette solution, on a cherché des mesures intermédiaires. L'une d'entre elles a consisté à faire venir en Afrique orientale des travailleurs bon marché d'une autre colonie britannique, l'Inde.

Ryszard Kapuściński, *Ébène : aventures africaines*,
traduit du polonais par Véronique Patte, Librairie Plon, 2000.

HOWARD DODSON, « L'ESCLAVAGE AU XXIE SIÈCLE »

L'Organisation des nations unies (ONU) a créé en 1974 un groupe de travail sur les formes contemporaines d'esclavages au sein de la Commission des droits de l'homme. Selon l'ONU, on compterait, si l'on prend en compte toutes les formes d'esclavages (esclavage domestique ou pour dettes, travail des enfants, travail forcé, exploitation sexuelle des femmes et des mineurs), plus de 200 millions d'esclaves au XXIe siècle. Spécialiste de l'histoire afro-américaine, Howard Dodson évoque, dans son article, les victimes directes de la traite moderne et une déportation à la fois massive et clandestine qui touche 27 millions de personnes aujourd'hui ! Rappelons que l'article IV de la *Déclaration universelle des droits de l'homme*, promulguée par l'ONU en 1946, précise que « *nul ne sera tenu en esclavage ni en servitude ; l'esclavage et la traite des esclaves sont interdits sous toutes leurs formes* ».

Le commerce d'esclaves a fait un retour en force. Et ce commerce moderne ne touche pas seulement les jeunes Africains et les jeunes Africaines : des femmes et des enfants sont également enlevés et exploités comme esclaves dans chaque continent. On estime qu'il y a plus de 27 millions de victimes dans le monde, soit plus du double du nombre de personnes qui ont été déportées au cours des 400 ans d'histoire du commerce transatlantique des esclaves vers l'Amérique. Ce qui est incroyable, c'est que cette traite d'êtres humains sans précédent passe pratiquement inaperçue. Les 27 millions de victimes de ce commerce moderne sont plus invisibles que les 12 millions d'Africains qui ont été envoyés de force en Amérique du XVIe au XIXe siècle. Comment expliquer un tel phénomène à une époque où les médias et les moyens de communication sont plus nombreux que jamais et où la transparence est à l'ordre du jour ?

Le premier problème est lié aux différences majeures entre le commerce transatlantique des esclaves et le commerce moderne. Le premier était fondé sur une idéologie raciale. Les victimes étaient africaines ; elles étaient capturées et vendues comme esclaves en Afrique et envoyées dans les colonies européennes pour travailler principalement dans les champs et les gisements de minerai. Les efforts conjugués des mouvements abolitionnistes ont conduit à l'abolition du commerce des esclaves dans l'Empire britannique et dans les Amériques puis celle de l'esclavage lui-même en Occident au XIXe siècle.

Aujourd'hui, la traite des esclaves revêt un caractère très différent. Tous les groupes raciaux sont visés. Bien que les femmes et les enfants soient les principales victimes, ceux qui sont achetés et vendus comme esclaves viennent de presque tous les continents et sont envoyés dans pratiquement tous les pays. Contrairement au commerce transatlantique, ces personnes ne sont pas recrutées pour travailler dans une région géographique spécifique, ou dans une industrie ou un secteur particuliers. Certes, un grand nombre de femmes sont vendues comme prostituées ou concubines, et de nombreux enfants comme travailleurs agricoles, mais il existe peu de routes ou de marchés établis et relativement stables. Alors que le commerce transatlantique était légal et pratiqué comme un commerce légitime, la traite moderne est illégale. Les transactions de ce commerce clandestin sont, en grande partie, cachées au public comme, d'ailleurs, la traite d'êtres humains, qui s'exerce en ce XXIe siècle.

Howard Dodson, extrait de son article « L'esclavage au XXIe siècle »,
Chronique de l'ONU (édition en ligne), © Nations Unies, 2005.

BINKA LE BRETON, LE PIÈGE !

Dans ce livre poignant, Binka Le Breton décrit et détaille les différents rouages qui conduisent à une véritable situation d'esclavage dans certaines exploitations agricoles brésiliennes contemporaines. Des chômeurs et des indigents sont attirés par des recruteurs dans des grandes propriétés amazoniennes qui deviennent des camps de travail isolés, contrôlés par des hommes de main sans scrupule. Prisonniers d'une dette qu'ils ont contractée pour être transportés, nourris et équipés, les ouvriers « piégés » doivent travailler dans des conditions précaires afin de rembourser l'argent dû et ils risquent leur vie s'ils cherchent à s'enfuir. Dans l'extrait retenu, Binka Le Breton évoque d'autres situations où les victimes leurrées, jeunes femmes et jeunes filles, deviennent aussi des esclaves, condamnées à servir leur bourreau.

Les pluies sont en retard au Bénin, dans l'Est de l'Afrique, et il n'y a rien à manger au village. Passe un commerçant ambulant, qui propose une avance sur les récoltes de la saison suivante. Il propose aussi une autre affaire : moyennant 30 dollars américains, il veut bien emmener la fille de la famille, âgée de 8 ans, et la placer en apprentissage chez un commerçant sur un marché du Gabon. Après discussion, et non sans inquiétude, la famille décide de la laisser partir, sans se douter qu'elle est en train de l'envoyer vers un voyage sans retour, vers l'esclavage. Leelu Bai, membre d'une tribu traditionnelle en Inde, devint esclave à son mariage : « La famille de mon mari était attachée depuis des générations au même patron, dit-elle. Ils recevaient des "prêts" pour se marier, pour se soigner quand ils étaient malades, pour aller à l'école, ainsi de suite. Je travaillais à partir de 6 heures du matin dans la maison du patron : je nettoyais, j'allais chercher de l'eau ; ensuite, j'allais à la ferme pour les travaux de la cueillette et de battage jusqu'à 7 heures du soir, parfois plus tard. Quelquefois, il fallait que je revienne chez le patron pour tout laver et nettoyer. Ce n'est que quand j'avais tout fini que je pouvais rentrer chez moi nourrir ma famille. »

Dans un petit village ukrainien, une jeune femme, prise d'un désir fou d'évasion vers la ville, se voit offrir la chance de sa vie. Elle peut avoir un travail de serveuse à Prague et gagner tout ce qu'elle veut. Elle aura enfin les moyens de se payer toutes les belles choses qu'elle mérite. Elle se lance dans un voyage clandestin au cours duquel elle perd ses papiers. Pour son malheur, il y a quelqu'un pour la « parrainer » : elle disparaît elle aussi dans le monde souterrain de l'esclavage.

Binka Le Breton, *Le Piège ! : Les esclaves d'aujourd'hui*,
Les Éditions du Cerf, 2003.

DOMINIQUE TORRÈS, ESCLAVES

Journaliste, Dominique Torrès a enquêté pendant plusieurs années pour suivre la piste des négriers modernes. Elle a fondé, en 1996, le Comité contre l'esclavage moderne, association française d'aide aux victimes et de lutte contre les pratiques esclavagistes. Dans son livre *Esclaves : 200 millions d'esclaves aujourd'hui*, elle raconte ses recherches, ses luttes et ses rencontres dans des pays où l'esclavage est encore pratiqué plus ou moins secrètement : le Maroc, la Mauritanie, le Koweït. Mais, ajoute-t-elle, « *l'esclavage n'est pas le seul fait des pays du Sud. Il existe aussi chez nous* ». Son enquête s'achève effectivement avec un certain nombre de cas recensés en France, en Suisse et en Grande-Bretagne. Dans l'extrait suivant, Dominique Torrès relate sa découverte de l'esclavage « invisible » pratiqué au Maroc. De jeunes filles (voire des enfants) sont recrutées comme servantes et exploitées par des familles aisées qui ont sur elles tous les droits.

Comment se procurer une petite bonne ? Pas difficile : il suffit de faire un saut à la campagne ou de se renseigner dans le voisinage. Très vite on vous dira à qui vous adresser, on vous proposera une recrue. Un ami qui cherchait un employé pour sa maison à Rabat me raconte qu'un homme de la campagne l'a très simplement abordé : « Je connais une petite de 6 ans qui serait très bien. Elle a déjà une expérience professionnelle. »

– 6 ans ! s'indignait cet ami. Et l'on vous parle tranquillement de son expérience professionnelle.

Il faut dire que le boom économique du pays est loin d'avoir profité à toutes les campagnes. Les paysans ont toujours autant d'enfants et toujours des salaires de misère. Une bouche de moins à nourrir, c'est toujours ça de gagné. De plus, les fournitures scolaires coûtent cher, et si l'on désire qu'un ou deux des fils fassent des études, il faut bien sacrifier quelqu'un. Une fille, de préférence. On ne la reverra plus qu'un jour ou deux à chaque fin de trimestre ou à l'occasion des fêtes pour empocher le salaire – si salaire il y a.

La voilà donc sinon vendue, du moins louée.

Innocente, apeurée, débarquant de son village perdu, ignorant ce qui est permis et ce qui ne l'est pas. La petite bonne ne fera pas d'histoires. Corvéable par définition, elle ne protestera pas si on l'exténue à des tâches qui ne sont pas de son âge. Elle vivra marginalisée, oubliée, loin des siens. Elle obéira aux ordres de sa maîtresse et suzeraine[1]. Et elle recevra des coups si cette dernière a envie d'en donner.

Enfin et surtout, elle ignore que son destin est déjà bouclé. Que plus tard, devenue grande, elle n'aura d'autre perspective que la situation d'« employée de maison » : elle n'aura jamais rien d'autre. Au passage, elle aura dans bien des cas laissé sa virginité à l'un des hommes de la maisonnée.

Comment appelez-vous cela ?

> Dominique Torrès, *Esclaves : 200 millions d'esclaves aujourd'hui*,
> éd. Phébus, 1996.

note

1. *suzeraine :* reine ou femme de seigneur dans le système féodal médiéval.

Bibliographie

AUTOBIOGRAPHIES

– Frederik Douglass, *La Vie de Frederik Douglass, esclave américain*, coll. « Bibliothèque Gallimard », Gallimard, 2006.
– Olaudah Equiano, *Le Prince esclave*, Rageot, 2003.

ROMANS ET RÉCITS

– Francesco d'Adamo, *Iqbal : un enfant contre l'esclavage*, coll. « Le Livre de Poche Jeunesse », Hachette, 2004.
– Katherine Ayres, *Esclaves en fuite*, coll. « Le Livre de Poche Jeunesse », Hachette, 2002.
– Harriet Beecher-Stowe, *La Case de l'oncle Tom*, coll. « Folio Junior », Gallimard Jeunesse, 1998.
– Betsy Haynes, *Une nièce de l'oncle Tom*, coll. « Le Livre de Poche Jeunesse », Hachette, 2003.
– Scott O'Dell, *Moi, Angelica, esclave*, coll. « Castor Poche », Flammarion, 1988.
– Bertrand Solet, *Chasseurs d'esclaves*, coll. « Castor Poche », Flammarion, 2005.

OUVRAGES DOCUMENTAIRES

– Marie-Thérèse Davidson et Thierry Aprile, *Sur les traces des esclaves*, coll. « Documents Jeunesse », Gallimard, 2004.
– Gérard Dhôtel, *L'Esclavage ancien et moderne*, coll. « Les Essentiels », Milan Junior, 2004.
– Dominique Joly et Ginette Hoffmann, *Au temps de la traite des Noirs*, Casterman, 2002.
– Jean Meyer, *Esclaves et Négriers*, coll. « Découvertes », Gallimard, 1998.

Bibliographie

- Joseph N'Diaye, *Il fut un jour à Gorée – L'esclavage raconté aux enfants*, Michel Lafon, 2006.
- Christiane Taubira, *L'Esclavage raconté à ma fille*, Bibliophane, 2002.
- Dominique Torrès, *Esclaves : 200 millions d'esclaves aujourd'hui*, coll. « Libretto », Phébus, 1996.

BANDE DESSINÉE

- Bourgeon, *Les Passagers du Vent*, Casterman ;
  en particulier, les tomes III à V (« Le Comptoir de Juda »,
  « L'Heure du serpent » et « Le Bois d'ébène »).

Achevé d'imprimé

LTV

LA TIPOGRAFICA VARESE

Società per Azioni

Varese

Dépôt légal : Août 2008 - Edition : 03

16/9477/7